국외로 빼돌린

검은 돈 이야기

역외탈세

국외로 빼돌린 검은 돈 이야기

역외탈세

2018년 4월 16일 인쇄
2018년 4월 23일 발행

지 은 이 | 장보원
발 행 인 | 송상근
발 행 처 | 삼일인포마인
등록번호 | 1995. 6. 26 제3-633호
주   소 | 서울특별시 용산구 한강대로 273 용산빌딩 4층
전   화 | 02)3489-3100
팩   스 | 02)3489-3141
가   격 | 18,000원

ISBN   978-89-5942-656-0 93320

국외로 빼돌린

검은 돈 이야기

역외탈세

장보원(세무사) 저

SAMIL | 삼일인포마인

조세회피현황

2016년에 이어 2017년에도 국제탐사보도언론인협회(ICIJ)는 대규모 조세회피처의 자료를 언론을 통해 공개한 바 있다.

연루자는 엘리자베스 영국여왕을 비롯해 대선 당시 트럼프 후보자에게 고액을 후원한 기업가들과 윌버 로스 상무장관, 쥐스탱 트뤼도 캐나다 총리의 측근 스티븐 브론프맨 등 각국 정치인 120여 명 및 가수나 배우 등 유명인과 다국적 기업 등이 대거 포함된 것으로 보인다.

대표적인 조세회피처(tax haven)인 버뮤다, 영국령 버진아일랜드, 케이맨제도, 마셜제도, 세이셸 등에는 이렇듯 각국의 부호와 다국적 거대기업 등의 페이퍼컴퍼니가 설립되어 있고, 이를 통해 조세회피와 재산은닉의 창구로 사용되어 왔다.

인터넷에 세이셸 등 조세회피처의 이름을 검색하면 홍콩의 페이퍼컴퍼니 설립 사무소를 통해 누구라도 손쉽게 해외가공회사의 주인이 될 수 있다.

그리고 그 가공회사의 이름으로 홍콩이나 싱가포르 등 외환거래에 제약이 없는 나라에 금융계좌개설도 가능하다.

이런 곳으로 우리나라에서 획득한 소득이나 재산을 유출하여 소득세, 법인세, 상속세, 증여세를 탈루하는 것이 형식적으로 가능한 것도 사실이다.

그러나 글로벌화 된 시대, 빅데이터화 된 시대에 더 이상 이런 방식의 역외탈세*는 기발한 아이디어도 아니고 유용한 세금회피수단도 아니다.

* 해외로 소득 등을 유출시켜 탈세하는 행위

그럼에도 불구하고 국내 언론사가 자료를 분석해 보니 한국인도 2백여 명이 연루된 것으로 나타났다고 한다. 조세회피처에 90여 개 정도의 법인을 설립하였는데 여기에는 코스닥 상장기업, 공기업, 대기업 등도 포함된 것으로 보인다. 지중해 몰타, 버뮤다, 케이맨제도와 세이셸 등지에 여러 개 또는 수십 개의 회사를 설립한 것으로 추측된다. 그러나 이것은 빙산의 일

각일 가능성이 높다.

그리고 그 빙산은 한국을 포함한 수십 개 국이 체결한 다자간 금융정보 자동교환협정에 의해 조만간 그 실체를 드러낼 것으로 보인다.

▌유럽연합(EU)의 조세회피처의 지정

최근 유럽연합(EU)은 조세회피국 블랙리스트를 발표했다. 그런데 그 조세회피처 국가에 한국을 포함시켜 적잖은 충격을 주고 있다. 우리나라가 외국인투자회사에 100% 가까운 조세감면제도를 두고 있는 것은 사실이지만 이것은 매우 제한된 요건 하에 이뤄지고 심사되는 것이라 유럽연합이 자기들만의 기준으로 우리나라를 조세회피처의 블랙리스트로 지정한 것은 매우 아쉽다.

그러나 살짝 그 저의가 의심스러운 것은 유럽연합이 공포한 조세회피처 블랙리스트 17개국은 바레인, 바베이도스, 한국, 아랍에미리트연합, 그레나다, 괌, 마셜제도, 마카오, 몽골, 나미비아, 팔라우, 파나마, 사모아, 미국령 사모아, 세인트루시아, 트리니다드 토바고와 튀니지 등인데 반해 대표적 조세회피처인 버뮤다, 케이먼 군도, 영국령 저지 섬 등 47개국은 조세피난을 막겠다고 약속했다는 이유로 '블랙리스트'가 아닌 '감시국'으로 분류되었다는 점이다.

많은 사람들은 대부분의 국가가 국민으로부터 세금을 걷어서 유지된다고 생각한다. 그러나 몇몇 조세회피처는 가공회사의 설립과 유지를 통해 국가를 운영하는 지경이다.

그렇게 본다면 유럽연합과 연계된 기존의 조세회피처는 감시국으로 분류되고 한국을 비롯한 17개국을 조세회피처라고 한 점은 결국 역외탈세를 보는 국가 간 시각, 국가 간 이해관계가 대립되고 있다는 점을 반영했다고 볼 수 있다.

다만, 2018년 1월 23일 EU는 한국이 경제자유구역과 외국인 투자지역에서 외국기업에 제공하는 차별적인 세제혜택을 조정하겠다는 의사를 전달받은 바, 조세 비협조국 블랙리스트 지정에서 제외되었다고 밝혔다.

▌OECD BEPS 프로젝트 추진

2012년 6월 OECD 재정위원회는 구글, 페이스북, 애플 등 다국적 기업들의 조세회피를 차단하기 위해 국가 간 종합행동계획을 수립하기로 하고, 국가 간 소득이전을 통한 세원잠식(Base Erosion and Profit Shifting : BEPS) 즉 역외탈세방식의 조세회피(BEPS)를 막기 위한 국가 간 제도개선에 나섰다.

우리나라도 이러한 BEPS(뱁스) 프로젝트에 참여하여 세법을 개정하고 우리나라에 소재하는 다국적기업의 세무자료 보고의무를 강화하는 등 OECD BEPS 프로젝트 권고사항을 충실히 이행하고 있다.

이러한 국가 간 노력은 구글, 페이스북, 애플 등 다국적 기업에 압박을 가했고, 결국 그들은 성실한 세금납부 이행을 약속하기도 했다.

▌집필의도

자칫 역외탈세는 나와는 관계 없는 일이라고 생각할 수도 있다. 그러나 역외탈세는 국가차원에서 보자면 국가 간 자원경쟁의 왜곡을 초래한다는 측면에서 모든 사람들의 이해관계가 얽힌 일이다. 역외탈세라 하면 대부분의 사람들이 너무 전문적이고 어려운 주제라 생각할 수 있다. 그래서 좀더 쉽게 이해할 수 있도록 이야기로 담아내려 한다.

필자는 탈세 목적이든 아니든 우리나라 사람들이 조세회피처에 페이퍼 컴퍼니를 꽤 많이 만들었다는 이야기를 주변 사람들에게 들었다. 예전에는 해외에 있는 소득을 찾기 어렵다는 점 때문에 역외탈세가 꽤 유용했던 모양이다. 하지만 지금은 국가 간에 정보교류, 특히 금융계좌 정보교류가 광범위하게 이루어지고 있기 때문에 결코 쉽지 않다.

일례로 우리나라는 2015년 미국과 조세정보 자동교환협정을 체결하고 2016년부터 시행 중이다. 따라서 역외탈세가 밝혀지는 것은 이제 시간문제가 되었다.

역외탈세가 발각되면 세금추징은 물론이고, 조세포탈죄, 해외금융계좌 신고의무위반 과태료, 외환거래 신고의무위반 과태료, 재산국외도피죄, 범죄수익은닉죄 등 매우 강력한 처벌이 기다리고 있으니, 역외탈세라는 나쁜 마음을 먹어서는 안 된다.

우리나라에서는 역외탈세 방지를 위해 2011년부터 '해외금융계좌 신고제'를 도입해 운영하고 있다.

이에 따르면 해외금융기관에 계좌를 보유한 거주자나 내국법인을 대상으로 해외금융계좌 금액이 월말 잔고기준으로 5억 원이 넘으면 이듬해 6월말까지 관할세무서에 이를 신고해야 한다.

만약 신고를 하지 않거나 줄여서 신고할 경우에는 해당 계좌금액에 20% 이하의 과태료가 부과되며, 해당 계좌금액이 50억 원을 초과할 때는 2년 이하의 징역 또는 20% 이하의 벌금(병과 가능)에 처할 수도 있다.

역외탈세는 탈세의 종합선물세트처럼 수많은 불법거래들을 수반하고 있다. 이에 세상에서 벌어질 법한 탈세 이야기를 역외탈세 중심으로 풀어가려고 한다. 그리고 탈세가 세상 사람들에게 주는 악영향에 대하여 알려주려 한다.

▌주인공 장태란 세무사의 프로필

소설 「역탈」의 주인공은 장태란 세무사이다.

학부에서 세무학을 전공했고 대학교 4학년 때인 2002년 세무사 자격을 취득한 여성 세무사이다. 올해(2016년 기준)로 14년 째 개인세무사무실을 운영하고 있다. 30대 후반의 나이로 앞만 보고 살아온 덕에 여전히 싱글이고, 대학 동기들 상당수가 국세청 세무공무원으로 재직 중이어서, 가끔 만나 소주 한잔하면서 세금이야기를 하는 것이 몇 안 되는 취미이다.

5년 전 국제선박 해운사의 감사로 재직한 바 있어 국제거래에 밝고, 역외탈세와 관련해서 서울지방국세청 조사4국, 서울지방국세청 국제거래조사국, 관세청 서울세관 외환조사과, 서울중앙지검 외사부의 역외탈세 조사시 몇 군데 회사의 세무조사조력인 자격 또는 참고인 자격으로 일한 바 있다.

▌ 스토리의 타임테이블

연 도	주요 사건
2004년	이강재 대휴마린 창업
2006년 ~ 2007년	대휴마린 역외탈세 시도
2007년	세무사 장태란 대휴마린 업무시작
2008년	리먼 브러더스 사태발생
2010년	서울청 조사4국 영치조사
2011년	세무사 장태란 대휴마린 감사취임
2012년	서울세관 외환조사과 압수수색
2013년	검찰공소제기 및 유죄판결
2013년	이강재 도미
2016년	모랄티움 주식회사 세관 압수수색(이야기의 시작)
2017년	(본문 참조)
2018년	(본문 참조)

국외로 빼돌린 검은 돈 이야기 역외탈세

C·O·N·T·E·N·T·S

국외로 빼돌린 검은 돈 이야기 역외탈세

역탈 (역외탈세域外脱稅, Offshore Tax Evasion)

제 1 화

데자뷔

"Hello, It's me, I was wondering if after all these years you'd like to meet to go over everything" (안녕 나야, 궁금한 게 있어, 시간이 흐르고 나면 그때 너와 다시 만날 수 있을까? 모든 게 다 무뎌지고 나면 말이지 – Adele의 Hello)

태란은 무역업 거래처의 결산*을 살펴보다가, 요즘 푹 빠져서 듣고 있는 Adele의 Hello에 스마트폰을 꺼내 들었다.

* 회사의 일정 기간의 수입과 지출을 마감하여 계산하는 것

'김장우?' 태란과는 2년 전 세무조사 건으로 인연을 맺은 모랄티움 주식회사의 회계부장이다. '왠일이지?'

장 "여보세요? 부장님, 오랜만입니다."

김 "세무사님, 오랜만입니다. 급한 일이 생겨서요. 지금 전화받으실

수 있으세요?"

（장）"그럼요. 무슨 일이신데요?"

（김）"실은 어제 서울세관 외환조사과에서 압수수색이 나와서 저희 회
　　사의 모든 자료를 다 가져가 버렸어요. 이런 일이 처음이다 보니
　　이곳저곳에 문의 중인데 혹시 이런 일 겪어 보신 적 있으세요?"

　서울세관 외환조사과. 관세청 내에 있는 조직이지만 외환사건에 대한
특수경찰 지위에 있어 외환사건을 조사할 때는 서울중앙지검 외사부의
지휘를 받게 된다.

（장）'서울세관 외환조사과에서 압수수색이 나왔다
　　는 것은 이미 범죄소명이 꽤 이뤄진 일일텐데.'

　태란은 문득 옛일이 떠오른다.

　장태란 세무사. 올해(2016년 기준)로부터 14년 전
인 2002년에 세무사 시험에 합격해서 올해로 14년째 개인세무사무실을
운영하고 있는 여성 세무사이다. 30대 후반의 나이로 앞만 보고 살아온
덕에 연애다운 연애도 못한 싱글이고, 대학 동기들 상당수가 국세청 세
무공무원으로 재직 중이어서, 가끔 만나 소주 한잔하면서 세금이야기를
하는 것이 몇 안 되는 취미이다.

　장태란은 3년 전까지, 지금은 폐업하고 사라진 대휴마린 주식회사의
감사*였다.

* 주식회사 등 법인의 재산상태 및 업무집행상황을 감독하고 조사하는 기관 또는 사람

　대휴마린은 국제선박*으로 화물을 운송하던 사업을 하는 중견 해운사
였는데, 10년 전 선박운임運賃이 최고로 좋았을 때 홍콩에 있는 외국인
명의의 페이퍼컴퍼니를 통해 선박에 사용되는 벙커오일(유류대금)**을 부

풀리는 방식으로 거액의 회삿돈을 빼 돌리다가 4년 전 서울세관 외환조
사과의 압수수색을 받은 일이 있었다.

* 국제항해에 이용되는 선박
** 선박의 연료가 되는 기름

그나마 다행인 건 장태란이 감사로 취임한 해
이전에 발생한 범죄행위였기 때문에 대표이사
만 구속되고 실형을 살다가 2심에서 집행유예로
나온 건 외에는 장태란의 개인적인 피해는 없었
다는 것이다.

그러나 대휴마린 주식회사는 대표이사가 구속된 후 급격히 경영사정이
악화되어, 물론 그 당시 선박운임이 터무니없이 낮아져서 거액의 경영손
실이 누적되어 빚으로 연명하고 있었지만, 결국 도산到産하고 말았다.

- 장 "세관에서 가져 온 압수수색 영장에 뭐라고 나왔던가요?"
- 김 "횡령, 조세포탈, 국외재산도피, 범죄수익은닉, 외환거래위반 등
   혐의 죄목이 한 5~6개가 되니 한숨만 나오네요."
- 장 "모랄티움 주식회사가 해외에 페이퍼컴퍼니(가공회사)를 만들었나
   요?"
- 김 "실은 그것 때문에 회장님이 이런 일을 아는 분을 찾으세요."
- 장 "저도 4~5년 전에 비슷한 실전경험이 있어요. 회장님께 전해 주세요."
- 김 "네, 그럼 회장님께 전하고 다시 전화 드리겠습니다."

수년 전 선박왕, 완구왕 등 각종의 탈세왕이 신문지상에 오르내린 적
이 있다.

조세피난처 혹은 조세회피처tax haven라고 불리는 세금이 없거나 적은 나라, 주로 작은 섬나라에 명목상의 회사, 즉 페이퍼컴퍼니를 만들고 우리나라 회사가 이 페이퍼컴퍼니로부터 물건이나 용역을 구입한 것처럼 거짓으로 꾸며 우리나라에서는 세무상 경비로 처리하고 결제금액은 해외 페이퍼컴퍼니에 빼돌려 개인적으로 취하는 이른바 '역외탈세'로 세금 추징을 받은 사람들의 이야기이다.

역외탈세를 줄여서 '역탈'이라고 부르기도 하는데, 역외탈세란 우리나라에서 세금을 내지 않기 위하여 소득이나 자산을 해외로 반출하는 탈세 방식을 말한다.

예전에 역외탈세는 해외에 있는 소득을 찾기 어렵다는 점을 이용한 것으로 꽤나 유용했던 모양이다. 그러나 지금은 국가 간 원활한 정보교류, 특히 금융계좌 정보교류가 광범위하게 이뤄지고 있어 결코 쉽지 않다. 일례로 우리나라는 2015년에 미국과 조세정보자동교환협정을 체결해 2016년부터 시행되고 있다.

따라서 이제 역외탈세가 밝혀지는 것은 시간문제가 되었으며, 세금추징문제 외에도 조세포탈죄, 해외금융계좌 신고의무위반 과태료, 외환거래 신고의무위반 과태료, 재산국외도피죄, 범죄수익은닉죄 등 매우 강력한 형사처벌이 있다.

과거 장태란 세무사가 감사로 재직했던 대휴마린 주식회사도 선박운임이 매우 높던 2000년 중반, 대표이사가 홍콩에 홍콩인 명의로 페이퍼컴퍼니를 만들고 선박에 사용되는 유류대금을 부풀리는 방식으로 홍콩의 페이퍼컴퍼니 계좌로 회사자금을 빼돌리다가, 2010년 말 서울지방국세청 조사4국 세무조사에 이어 2012년 서울세관 외환조사과의 압수수색, 2013년 서울중앙지검의 공소 및 서울중앙지법의 재판까지 받게 되었다. 그때 장태란은 끝까지 대휴마린의 대표이사 이강재를 도와 세무조사조력자, 때로는 참고인으로 같이 하면서 회사가 나락奈落으로 떨어지는 시간을 함께 했었다.

2000년 중반까지 그토록 호황이었던 해운산업이 2008년 세계적 투자은행 리먼 브러더스의 파산으로 시작된 글로벌 금융위기사태로 해운업 전반에 먹구름이 드리웠고, 그 여파는 십여 년째 그대로이다.

Baltic Dry Index. 이른바 BDI 지수라고 불리는 해운운임지수가 리먼 브러더스 사태가 터지기 전인 2008년에는 12,000에 육박했다. 그런데 리먼사태 이후 1/10 토막이 나서 1,000대를 찍다가 다시 오르는 듯 하더니 현재에도 1,000대를 벗어나지 못하고 있다. 해운운임지수의 하락은 배를 많이 보유하면 할수록 손해가 쌓여가는 일이 되었다. 이는 마치 주식시장의 코스피 지수와 같이 생각하면 되는 것이니 해운운임이 얼마나 폭락했는지는 상상에 맡긴다.

그러다 보니, 잘 나가던 시절에 외국 배를 빌려서(이를 '용선'이라 한다) 해운업을 하던 회사들이 리먼 브러더스 사태 이전에 체결된 높은 용선료*를 감당할 수 없어 도산하기 시작했고, 결국 대한민국에서 가장 큰 해운사도 법정관리에 놓인 바 있었다.

* 선박의 전부나 일부를 빌리는 용선계약에 따라 지불하는 비용

해운사가 금융기관으로부터 대출을 받아 직접 배를 샀다면 그나마 리먼 브러더스 사태의 타격이 덜할 텐데, 선박금융을 일으키면 해운사의 재무제표상 부채비율*이 너무 커져서 신용이 악화될 것을 우려한 당시 정책당국은 대부분의 해운사에게 외국 배를 용선할 것을 장려했는데 이것이 오히려 화근이 되어, 리먼 브러더스 사태 이후 해운운임지수는 급

전직하急轉直下로 떨어지는데 반해, 해운사는 계약상 높은 용선료를 그대로 감당해야 했기에 연간 거액의 고정손실을 볼 수밖에 없는 늪에 빠지게 되었다.

* 회사의 부채총액을 자기자본액으로 나눈 백분율로 타인자본의 의존도를 표시하는 지표

장 '아마 대휴마린은 홍콩을 통한 역외탈세가 없었더라도 버틸 수 없었을 거야.'

태란은 모랄티움 주식회사로 인해 부활한 기억을 붙잡고 혼잣말을 해본다.

"Hello, It's me~" 스마트폰이 울린다.

장 '홍학익 회장?'

모랄티움 주식회사의 회장이다.

2년 전 모랄티움 주식회사는 서울지방국세청 정기세무조사를 받았는데 거짓세금계산서* 발급건으로 가산세를 부과받았다가 취소된 적이 있다. 그때 모랄티움의 고문변호사 추천으로 심판청구** 업무를 수임해서 승소한 바가 있었다. 그 뒤로는 어쩐 일인지 냉정하게 연락이 없었는데 2년 만에 전화가 온다.

* 재화 또는 용역의 공급이 없이 세금을 탈세하기 위하여 주고 받는 가짜 세무증빙
** 행정기관의 위법하거나 부당한 행정처분의 재심사를 하는 행정쟁송 절차

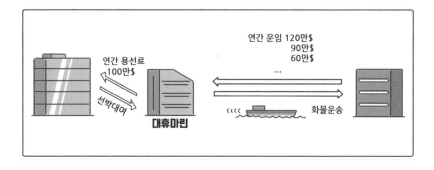

ㅈ "네, 장태란 세무사입니다."

ㅎ "어이쿠! 세무사님, 반갑습니다. 저 홍학익입니다."

ㅈ "네 회장님. 오랜만에 목소리 들으니 반갑습니다."

간혹 '변호사를 쓴다. 세무사를 쓴다'는 표현을 듣는다. '쓰다'의 영어 단어는 'Use'라고 하는데, 이는 이용한다는 의미가 있는 말이다. 결국 전문직은 필요에 따라 경험과 지식을 이용할 때 필요한 존재인가? 2년 만의 살가운 목소리에 태란은 문득 이런 생각이 든다. 그리고 마음에도 없는 빈말 인사를 건넸다.

ㅎ "세무사님, 여전히 잘 지내시죠? 김장우가 전화를 드렸다는데 제가 세무사님께 도움 받을 일이 있습니다. 오늘 저녁에 시간이 되시나요? 제가 좀 급한 일이 있어서요."

안 될 것은 없다. 태란은 저녁 6시까지 종로에 있는 모랄티움 주식회사로 방문하기로 하고 전화를 끊는다.

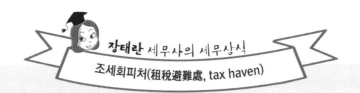

　조세회피처는 세금이 면제되거나 현저히 경감되는 국가나 지역을 의미한다. 이러한 조세회피처는 세금을 통한 재정확보보다는 해당 국가에 페이퍼컴퍼니(서류상의 회사)를 설립할 때와 외국환금융거래를 할 때 고액의 수수료를 부과하는 방식으로 재정을 충당하는 것이 보통이다.

　조세회피처는 해당 국가에 페이퍼컴퍼니를 설립하여 자금세탁을 하거나, 개인이나 법인이 자신의 거주지국에 대하여 불법적인 탈세를 하기 위한 장소로 악용된다.

Tax Haven

　우리나라 세법은 2010년 이전까지 조세회피처를 '법인의 실제발생소득의 전부 또는 상당부분에 대하여 조세를 부과하지 아니하는 국가 또는 지역'과 '법인의 부담세액이 당해 실제발생소득의 15% 이하인 국가 또는 지역'으로 규정하면서도, 법인의 실제발생소득의 전부 또는 상당부분에 대하여 조세를 부과하지 아니하는 국가 또는 지역을 OECD 회원국들이 조세회피처로 지정하고 있는 국가 또는 지역을 감안하여 기획재정부장관의 승인을 받아 국세청장이 고시하도록 하였으나(열거주의방식), 2010년 1월 1일 법률 개정시 이를 삭제하고 법인의 부담세액이 실제발생소득의 15% 이하인 국가·지역으로 판정기준을 일원화하였다.

이는 OECD가 2000년에 35개국을 비협조적 조세회피처 국가로 지정하였으나 2010년 지정국가가 없다는 점을 고려한 것으로, 동 개정규정은 2010년 1월 1일 이후 최초로 개시하는 과세연도부터 적용되어 지금까지 시행되고 있다.

제 2 화

역외탈세의 전형적 형태

🔴 "오랜만에 뵙겠습니다. 장세무사님."

2년 전 장태란 세무사의 도움으로 거액의 세금을 부과받았다가 취소된 뒤에 아무 일도 없었다는 듯 냉정하게 연락을 끊었던 회장이었는데, 지금은 언제 그랬냐는 듯 살짝 웃으면서 멋쩍음을 눙치는 홍학익 회장의 솜씨는 2년 전이나 지금이나 비슷하다.

🔵 "네, 회사에 긴급한 일이 생겼다고 해서 급히 오긴 했는데, 어떤 일로 찾으셨나요?"

홍회장은 장태란과 같이 들어온 김장우 부장을 손짓한다.

🔴 "장우야, 나가서 지전무 들어오라 해라."

🔘 "네, 알겠습니다. 회장님."

들어오라 말라 할 것도 없이 한 5분 쯤 있다가 지용만 전무는 이를 쑤시면서 천천히 들어온다. 예전부터 장태란을 경계하는 눈치이고 상대에게 무례함을 보이는 것이 자신의 힘을 보여주는 것으로 착각하는 오만함이 몸에 배인 자이다.

2년 전에도 홍학익 회장과 같은 급인 것처럼 행세하고, 세무대리인 수임에 있어서도 자신이 아는 다른 사람이 있으니 그쪽에도 알아봐야 한다는 식으로 장태란에게 딴지를 걸었던 사람이다. 그런데 장태란이 멋지게 세금을 취소하고 성공보수를 받아 갔으니, 그 쓰린 속을 알 것도 같다.

🔘 "장태란 세무사님, 오랜만에 뵙겠습니다. 여전히 미인이시네요? 음, 커피 한 잔 안 줬습니까? 김부장, 장세무사님께 커피 한 잔 내온나."

지전무는 자신이 회장인 양 회장 곁에 있는 김장우 부장에게 커피 심부름을 시킨다.

🔘 "일단 다 왔으니 앉고, 커피는 성대리가 가져오게 인터폰 해라."

홍학익 회장은 애써 무시하며, 지전무와 김부장을 자기 곁에 앉혀 놓는다.

🔘 "장세무사님, 어제 아침에 서울세관 외 뭐라더라? 외환부에서 우리 회사를 찾아왔어요."

🔘 "서울세관 외환조사과입니다. 외국환 거래를 조사하는 부서인데 범죄사실이 있는 사건의 경우에는 서울중앙지검 외사부 지휘를

받아서 압수수색을 나오는데, 어제 압수수색을 당하셨다고 들었습니다."

김 "네 세무사님, 맞습니다. 서울세관 외환조사과에서 압수수색을 나왔어요."

홍학익 회장의 표현이 답답했는지 김장우가 끼어든다.

장 "뭐라던가요?"

김 "영장을 보여주고 경찰증 같은 걸 보여주면서, 압수수색하겠다고 책상하고 창고에 있던 회사서류를 몽땅 가져가고 컴퓨터 자료도 복사해 가고, 이메일 계정도 서비스 회사에 연락해서 싹 다 복사해 가더라고요."

장 "혹시, 어떤 일 때문에 그런 것 같습니까?"

홍학익, 지용만, 김장우 누구도 선뜻 얘기를 꺼내지 못한다. 잠시 침묵이 흐른 뒤 홍학익 회장이 김장우 부장을 쳐다보면서 얘기한다.

홍 "김부장, 니가 잘 좀 설명해 봐라."

김 "아, 예. 회장님. 세무사님, 그러니까 저희 회사가 여행용 가방을 만들어서 수출하는 업체다 보니, 수출오더(수출주문)는 외국 바이어Buyer한테 받는데 가방제작은 중국에서 합니다. 그런데 가방을

만드는데 공임(CMT)*과 자재비가 많이 들어갑니다. 그 공임은 중국 임가공공장에 보내면 되지만, 자재는 중국의 영세업체로부터 무자료**로 사기 때문에 중국 임가공공장 사장이 따로 개설한 홍콩의 페이퍼컴퍼니 계좌가 하나 있어요. 거기에 공임하고 자재비를 다 결제해 주는데, 그게 뭐 문제가 되는가 보더라구요."

* 물품을 만들거나 수리하는 데 대한 품삯
** 과세자료가 없는 상태 또는 거래

(장) "그래요? 가방제작 비용을 중국에 직접 송금하지 않고 홍콩에 보낸 것 때문에 압수수색이 나왔다는 건가요? 제 경험상 아무래도 그건 아닌 것 같습니다만…"

(장) '소소한 외국환거래 위반으로 서울세관 외환조사과가 압수수색을 하지는 않았을텐데, 아마도 역외탈세가 엮여 있겠지.'

(홍) "김부장. 지금부턴 내가 설명 좀 할게."

홍학익 회장은 할 말이 있는지 중간에 치고 들어온다.

(홍) "실은요, 저희가 수출하면 마진이 한 20% 쯤 됩니다. 그러다보니 세금도 많고 그래서 가방제작비를 수출가격의 약 5% 정도 부풀렸어요. 5% 정도 더 홍콩 쪽에다 비용조로 보내다 보니, 중국 임가공공장의 왕사장이 그 5%를 다시 홍콩에 개설한 저와 지용만 전무의 공동계좌에 넣어줬거든요."

(장) "그 해외금융계좌에 매월 말 기준 잔고가 10억 원이 넘는 때가 있었나요?"

(홍) "아마 그럴 것 같은데요."

우리나라에서는 역외탈세 방지를 위해 2011년부터 '해외금융계좌 신고제'를 도입해 운영하고 있다. 이에 따르면 해외금융기관에 계좌를 보유한 거주자나 내국법인은 해외금융계좌 금액의 합이 월말 잔액 기준 10억 원(2018년부터는 5억 원)이 넘으면 이듬해 6월 말까지 관할세무서에 이를 신고해야 한다.

만약 신고를 하지 않거나 줄여서 신고할 경우에는 해당 계좌금액에 20% 이하의 과태료가 부과되며, 해당 계좌금액이 50억 원을 초과할 때는 2년 이하의 징역 또는 20% 이하의 벌금(병과 가능)에 처할 수도 있다.

🟤장 "해외금융계좌는 관할세무서에 신고하셨나요?"

🟤홍 "아, 난 그런 건 잘 몰랐지? 근데 그것 때문에 압수수색을 나왔나? 아니, 사실 그 돈이 한 30억 원이 되니까 너무 커진다 싶어서 국내로 들여와야겠다고 생각했어요. 그래서 외국인투자형태로 받으면 우리 회사의 모양새가 좋겠다 싶어서 모랄티움 홍콩 유한회사라는 걸 홍콩인 명의로 만들어서 나랑 지전무 공동계좌에 있던 돈을 모랄티움 홍콩 유한회사로 이체했다가 다시 1년 전에 외국인투자신고를 하고 우리 회사의 유상증자대금*으로 들여왔었지."

* 회사가 주식을 발행하면서 주주로부터 자본납입금을 받는 형태의 자본증가

☺ "그러니까 가방제작비용을 부풀려서 법인세를 탈루하고, 그 비용을 홍콩 페이퍼컴퍼니로 이체한 후, 한두 번 계좌를 거쳐서 모랄티움의 외국인 유상증자 형태로 다시 국내에 들어온 거군요?"

장태란은 돌려서 말할 줄 모르는 치명적인 단점이 있다. 같은 말이라도 듣기 좋게 한다면 더 좋을텐데 말이다.

☺ "단순히 법인세를 좀 줄여보려고 경비를 조금 부풀린 것 뿐이고, 그 돈을 빼 돌리려고 했던 건 아녜요. 그래서 돈도 다시 우리 회사로 들여온 거고요."

홍학익 회장은 급히 벌개진 얼굴로 다소 언성이 높아지면서 항변을 한다. 그런데 지용만 전무가 나선다.

☺ "회장님, 그 홍콩계좌는 제가 뭐 같이 만들고 말고 한 거는 아니고요. 아무튼 홍회장님께서 그렇게 하자해서 제가 그냥 묵인했던 거지, 회장님께서 제 이름 넣어서 공동홍콩계좌 트시고, 돈을 다시 들여와야겠다면서 모랄티움 홍콩 유한회사도 직접 만드시고

그런거지, 제가 주도한 건 아무 것도 없어요."

지용만 전무는 뭔가 불안하고 불쾌하다는 듯이 홍학익 회장을 바라보면서 하소연을 한다.

🔴 "지전무, 다 회사 잘 되자고 같이 논의하고 한 일이예요. 그건 그거고, 아무튼 장세무사님. 이때는 어떻게 해야 합니까?"

일단 가방제작비를 부풀려서 해외로 빼돌린 부분은 법인세 탈루인데, 다시 그 돈이 유상증자의 형태로 회사에 들어왔다면 최악의 상황은 아니라고 장태란은 빠르게 상황을 판단한다.

🔵 "일단 법인세 탈루분에 대해서는 세금이 추징될텐데요, 그 주식대금으로 들여온 것에 대해서는 다툼이 될 것 같네요. 이건 국세청 소관이예요. 그런데 관세청 외환조사과에서는 원인없이 과다하게 나간 돈에 대하여 외국환거래법 위반 문제를 다룰 것이고, 검찰에 가면 주식대금이 누구의 것이냐로 횡령을 판단할 것이고, 그 돈이 해외에서 사용소비되면 국외재산도피 같은 엄벌에 처할 수도 있죠. 그래서 압수수색할 때 외국환거래법 위반, 횡령죄, 국외재산도피죄,

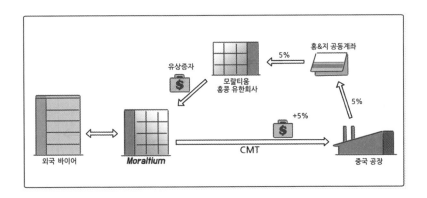

범죄수익 은닉죄 이런 예상 죄목들이 세트로 나오는 겁니다."

🔴 "아, 역시 전문가시네. 그럼 이제 이 일을 어떻게 해야 될까요?"

홍회장은 뭔가 골몰하며 장태란에게 말을 건넨다.

🔵 "이게 국세청에서 바로 나왔으면 세무사가 세무조사조력자로 돕습
니다. 그런데 서울세관 외환조사과 사건은 변호사가 형사사건으
로 조력을 해야 해요. 본질적으로 세무사건은 아니고 형사사건이
니까요. 다만, 형사사건으로서 죄가 조금 작아지면 분명히 관세청
에서 국세청에 조사자료를 통보해서 세금을 추징한다고 문제를
삼을텐데. 그 상황이 되면 제가 나서 보겠습니다."

장태란은 4년 전 비슷한 상황에서 도움을 받았던 황원오 변호사를 떠
올린다.

🔵 "제가 비슷한 일을 겪은 적이 있었는데, 그때 형사사건에 도움을
주셨던 황원오 변호사님의 전화번호를 드릴테니 연락해 보세요.
외국환거래에서 법률전문가세요."

외국환거래는 사건을 수임하려는 변호사도 그다지 많지 않을만큼 복
잡하고 사실판단이 쉽지 않다.

🔵 '회계의 흐름도 알아야 하고 법률에도 밝아야 하니, 서울중앙지검
외사부 출신 황원오 변호사만한 사람도 드물겠지.'

🔴 "뭐 시키시는 대로 다 하겠습니다. 헤헤."

🔵 "그리고 일단 빠른 시간 내에 회사는 모랄티움 홍콩 유한회사가
보유한 주식을 무상감자*를 해서 없애 버리세요."

* 자본금만 줄이고 주주에게 자본감소의 대가를 주지 않는 것

앞으로 이 사건에서 모랄티움 홍콩 유한회사가 투자한 주식이 끝까지 발목을 잡을 것이다. 따라서 일단 무상감자해서 그 주식을 없애버리고 국세청과 얘기하는 것이 속편한 방법이다.

장태란은 몇 달 뒤 일어날 일을 알기나 한다는 듯이 무상감자라는 말을 던지고 홍학익 회장의 집무실에서 나왔다.

🔴 "어이 김장우 부장, 세무사님 잘 모셔다드리고 빨리 황변호사님께 전화올리고, 그 무상감자라는 거 빨리 먹으래이."

홍학익 회장이 잘 몰라서 무상감자를 먹으라는 소리를 한 것인지, 농담으로 한 것인지 갸우뚱거리며 장태란은 쓴웃음을 머금은 채로 회사를 나온다.

감자減資는 자본금을 줄인다는 말로서 증자增資의 반대 개념이다. 주식회사는 보통 액면가액이나 주식수를 줄이는 방식으로 자본금을 줄이고 이를 감자라 부른다. 이렇게 자본금을 줄일 때 주주에게 감자대가를 주는 것을 유상감자라 하고, 자본금만 줄이고 주주에게 감자대가를 주지 않는 것을 무상감자無常感資, capital reduction without refund라 한다.

즉, 유상감자는 자본금을 줄일 때 주주에게 회사의 재산을 일부 환원해 주는 것으로 회사의 재산이 감소한다. 줄어든 자본금이 주주에게 환원되기 때문에 유상有償감자라고 하며, 사업 규모를 축소하거나 과다한 자본금을 정리할 때 사용된다. 다만, 주식시장에서 행해지는 일은 거의 찾아보기 어렵다.

반면, 현재 대한민국의 주식시장에서 행해지는 감자는 거의 대부분 무상감자이다. 무상감자는 회계상 회사의 자본금은 줄지만 실제 회사의 자산에는 변화가 없다. 액면가액이나 주식수를 줄이는 방식으로 자본금을 줄이지만, 이는 장부상으로만 자본이 줄어들 뿐이고 줄어든 자본이 주주에게 지급되지 않는다는 의미에서 무상無償감자라고 한다. 자본금의 감소액으로 결손금을 제거하기 때문에 재무구조개선효과가 있는 것처럼 이야기하기도 한다.

역·탈

제 **3** 화

주식의 명의신탁

🔴홍 "지전무! 지전무 어딨노?"

홍학익 회장은 장태란 세무사와 함께 회장실을 빠져나간 지용만 전무를 급히 찾는다.

🔵지 "네, 왜 그라십니까?"

지용만은 화장실을 다녀오는지 바지춤을 끌어 올리며 홍학익 회장실로 들어온다.

🔴홍 "지전무, 거기 문 좀 닫고 여기 앉아봐."

그러면서 홍회장은 뭔가 미심쩍다는 듯이 고개를 저으면서 지전무를 물끄러미 바라본다.

🅹 "아까 김부장에게 지시한 건은 확인하겠습니다만, 또 무슨 일 있습니꺼?"

🅷 "서울세관에서 압수수색 나온 거랑, 지난 달부터 이상하게 전화가 자꾸 오니깐 마음에 걸리는 게 있어서 그라는데…"

🅹 "세관의 압수수색이랑 연관된 것이 있습니꺼?"

지전무는 아무것도 모르는 듯이 홍회장에게 되묻는다.

🅷 "그러니까, 지난 달 초부터 몇 번 됐어요. 3년 전인가 우리 회사를 홍콩에다 상장*시키겠다고 홍콩에 회사 하나 더 만들었잖어. 파리스팅 유한공사라고, 앞으로 우리 모랄티움 주식회사의 지주회사**로 만들려고 말이지. 그거 2년 전 국세청 세무조사를 받으면서 흐지부지 되긴 했는데… 그 전에 우리 회사가 파리스팅 유한공사를 통해 홍콩에 상장된다고 소문이 도니까 우리한테 원단 납품하는 ○○사의 변대표가 대뜸 비싼 돈 치를테니 홍콩의 파리스팅 유한공사 지분을 조금이라도 자기에게 팔라고 해서 팔았거든. 근데 홍콩에 상장하는 모습이 안보이니까, 지금도 아무 액션이 없

> 사실 내가 명의신탁한 주식을 변대표에게 팔았는데, 이 양반이 다시 돈 내놓으라고 난리네…

으니까 변대표가 자꾸 전화해서 묻더니 급기야 거짓 상장 소문에
속았다면서 다시 돈 내놓으라고, 안 그러면 주식명의신탁***으로
국세청에 고발하겠다고 난리였거든."

* 홍콩 주식거래소에서 주식이 거래되도록 등록하는 일
** 다른 회사의 주식을 소유하기 위한 목적으로 설립된 회사
*** 주식명의를 실제 소유자가 아닌 다른 사람 명의로 해 둔 일

지 "그게 그런 거였어요? 그렇지않아도 〇〇사랑 작년에 거래를 그만
하면서 대금도 잘 결제해 주고 특별히 원수진 일도 없는데, 여러
업체에다가 홍회장님이 자기한테 사기를 쳤다고 그런 소문을 내
고 다닌다고 들었거든요. 그런데 자세히 그게 어떻게 된 건데요?"

지용만 전무는 아무 것도 모르는 양, 홍학익 회장에게 주식명의신탁에
대한 사안을 물어본다.

홍 "그런데 이상하다. 지전무는 변대표하고는 예전부터 친했잖아? 홍
콩주식 거래는 이미 듣고 알거라고 생각했었는데 그게 아닌가 보
구만…"

홍회장은 미심쩍은 표정을 지으며, 지전무에게 이미 다 알고 있는 거
아니냐고 눙치며 물어본다.

지 "〇〇사 변대표가 파리스팅 유한공사 주식에 투자한 건 알고 있죠.
그런데 그 속사정이야 아무리 친해도 저한테 알려주나요? 돈이
걸린 건데…"

지전무의 눙치는 솜씨도 홍회장 급이다.

홍 "헤헤 그렇구만. 사실 우리가 매출이 막 급성장하고 하면서 홍콩에
파리스팅이라는 지주회사를 설립해서 주식을 홍콩에 상장하려던

것은 그 당시 업계에 소문이 쫙 다 나있긴 했어. 그런데 그 홍콩 파리스팅 유한공사의 지분을 내 사촌이 한 5천만 원 정도 투자해서 가지고 있었지. 그러다 국세청 세무조사가 나오고 돈도 필요하고 해서 그 지분을 변대표에게 5억 원에 팔았지. 근데 그게 사실 내 지분이야. 돈도 내 통장으로 받았고…"

지 "아, 그럼 변대표가 투자한 게 홍학익 회장님의 사촌 명의의 주식을 사고서 홍콩 파리스팅에 투자했다고 한 거였네요."

홍 "사실 내 것이었지. 특별한 이유도 없는데 자꾸 습성이 꼭 회사지분이 50%는 넘으면 안될 것 같아서 5%를 사촌이름으로 해 둔 거거든. 그리고 아직 홍콩주식시장에 상장될 기약이 없어 그렇지, 나도 거기 지분이 50%인데 손 놓을 생각이 없는데 자꾸 그때 돈 5억 원을 내놓으라고 난리를 치더라고. 지난 달 초부터 말이지. 뭐 집히는데 없어?"

지 "그라믄 회장님은 이번 서울세관의 압수수색이 변대표가 찔러서 나오기라도 했다는 겁니까?"

홍 "그럴 수도 있다는 얘기지. 그런데 주식명의신탁하면 국세청에 고발이 되고 그러는가?"

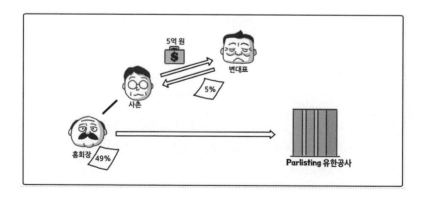

Ⓧ "잘 모르겠네요. 제가 아는 세무사가 있어요. 기다려 보세요."

지용만 전무는 2G 핸드폰을 꺼내서 어딘가로 전화를 건다.

Ⓧ "어이 박세무사, 요즘 잘 지내? 사업은 잘 되고? 거두절미하고 물어볼 것이 하나 있는데."

모기만한 소리로 전화기에서 '네네' 이런 소리가 흘러나온다.

Ⓧ "주식을 명의신탁하면 처벌이 되는가? 국세청에 고발같은 게 되는 거냐 말이지?"

지전무는 자신이 아는 박세무사로부터 한참을 주식명의신탁에 대해서 듣고 있었다. 이내 핸드폰을 덮고 홍회장을 바라보며 얘기한다.

Ⓧ "회장님, 주식명의신탁은 법적으로 처벌되고 그런 건 아니랍니다. 다만, 주식명의신탁한 것을 증여*한 걸로 봐서 증여세를 물어야 한다네요."

* 재산을 무상으로 상대방에게 주는 것

ⓗ "나도 그런 얘기 이미 들었어. 그런데 그럼 내가 당초 투자원금 5천만 원 어치 지분을 사촌한테 증여를 했다는 거야? 아니면 변대표에게 받은 주식양도대금 5억 원을 증여받았다는 거야?"

Ⓧ "음, 그것까지는 제가 잘 모르겠습니다. 회장님이 장태란에게 직접 물어보세요."

ⓗ "알았어. 그런데 그건 그렇고 지전무는 변대표한테 뭐 짚히는거 없어? 우리 회사가 뭐가 그리 큰 회사라고 서울세관 같은 곳에서 압수수색을 나와? 혹시 자네가 관계있는 건 아냐?"

홍학익 회장은 다소 높은 톤으로 지용만 전무를 압박한다.

㉜ "무슨 말이지 잘 모르겠습니다. 나는 아무런 일에도 관련이 없는데… 회사가 어수선하게 되어 가지고, 앞으로 해외영업이 제대로 될 지도 의문입니다. 저는 이만 나가보겠습니다."

홍회장은 자기일 아니란 듯한 지전무의 태도가 아주 마음에 들지 않았지만, 더 이상 얘기를 꺼내지 않고 잠시 책상에 앉아 생각하더니 장태란 세무사에게 전화를 건다.

홍회장은 주식명의신탁에 대해 자신이 벌인 일을 장태란 세무사에게 설명한다.

㉛ "주식명의신탁을 증여로 보는 것은 사실입니다. 그런데 그건 당초 실제 소유자가 명의상 소유자에게 명의를 맡긴 날에 증여한 것으로 보는 것이라 회장님이 사촌에게 5천만 원 증여하신 거예요. 거기에 대한 증여세는 4~5백만 원 내외에 불과해요. 그런데 그 홍콩 주식의 양도차익이 약 4.5억 원이 생기셨는데 그건 신고하셨나요? 양도소득세율이 20%(지방소득세 2%)이니 약 9천만 원 정도

주식명의신탁은 증여로 보고 있지만 증여세는 그리 크지 않아요. 그런데 홍콩 주식의 양도차익은 신고하셨나요?

되겠네요."

😊 "그건 아마도 사촌 이름으로 신고했을 거예요."

거주자(해당 자산의 양도일까지 계속 5년 이상 국내에 주소 또는 거소를 둔 자만 해당)가 직접 외국법인의 주식에 투자하여 이를 양도하면 상장여부와 관계없이 국외자산양도에 따른 양도소득세를 우리나라 국세청에 신고하여야 한다.

양도소득세는 매매차익의 20%(지방소득세 2% 별도)이며, 외국에서 납부한 세액이 있는 경우에는 이를 공제 또는 경비처리하여 국제적 이중과세를 조정해 준다. 일반적인 주식의 예정신고기한(반기별 말일부터 2월 내)에 맞추어 신고·납부하면 된다.

😊 "해외주식 양도소득세를 제때에 신고하신 건 잘하셨네요. 그 변대
    표라는 분이 국세청에 고발할 수 없는 건 아니지만 그 명의신탁
    규모가 미미하고 명의자가 달라서 그렇지, 양도소득세 신고를 다
    하고 세금도 다 내셨으니 아무 일도 없어 보이네요. 다만, 마음에
    걸리시면 주식명의신탁에 따른 증여세를 이제라도 기한후신고*
    하세요."

    * 법정신고기한을 놓친 후 세무신고하는 것

😊 "아하 그렇구만요, 오늘 정말 여러 가지로 고맙습니다. 장태란 세
    무사님."

😊 '2년 간 아무런 연락도 없다가 오늘만 바쁘시네요. 혼자 밥먹다가
    이게 뭐지?'

😊 "잠시만요? 아직 안 끝났어요."

장태란은 홍회장에게 궁금한 것이 있는지 전화를 끊지 않고 질문을 던진다.

자신의 재산을 다른 사람의 명의로 해두는 것을 '명의신탁'이라 한다[1]. 명의신탁의 법률관계를 보면 당사자끼리는 명의신탁자(맡기는 사람)가 소유권을 가지고, 외부로 드러낼 때는 명의수탁자(맡은 사람)가 소유자인 것처럼 하는 것이다. 다만 이러한 명의신탁은 등기부등본처럼 공부公簿상 소유관계가 공시되는 부동산·주식·차량·기계장비·선박·항공기나 지적재산권에 국한된다. 소유관계가 공시되지 않은 재산에는 명의신탁이 적용될 필요가 없다.

그런데 명의신탁은 주로 세금 등 채무를 면탈하는 수단으로 악용된다. 쉽게 말해서 자기 소유의 재산을 형식상 타인 명의로 해놓고, 실질적으로는 자신이 재산을 관리·수익하면서도 채권자가 채무변제를 요구할 때는 재산이 없다고 버티는 것이다.

만일 명의신탁을 이용해 세금을 내지 않고 그 밖의 채무도 변제하지 않는 행위가 늘 가능하다면 사회정의가 위태할 것이다. 그래서 명의신탁 행위를 규제하는 법률규정을 두고 있는데 크게 세 가지가 있다.

첫째, 사해행위 취소소송이다. 과세관청이나 일반채권자는 채무자의 명의신탁 재산을 압류하기 위해 국세징수법과 민법에 따라 '사해행위 취소소송'을 제기할 수 있다. 사해행위 취소소송이란 채무자가 채권자에게 피해를 주는 법률행위를 할 경우 채권자가 이를 취소하는 소송을 말한다. 명의신탁 행위가 채권자의 압류행위를 면하기 위해 이루어진 것이라면 이러한 명의신탁행위(일반적으로 양도의 형식을 취함)를 취소해달라는 민사소송을 제기하

---

1) 2017년 절세테크 100문 100답 p.457~460 인용, 장보원

고, 이에 승소하면 채무자 명의로 환원된 재산을 압류할 수가 있다. 이때 소송의 피고는 채무자가 아니라 명의수탁자(맡은 사람)이므로 그를 상대로 소송을 제기해야 한다.

둘째, 명의신탁한 재산이 부동산이면 부동산실명제로 처벌하는 것이다. 부동산실명제의 정식 명칭은 '부동산 실권리자 명의등기에 관한 법률'이고, 이 법은 명의신탁에 따른 폐해를 시정하고 경제정의를 실현하기 위해 1995년 7월 1일부터 시행되어 왔다. 이 법률에 따르면 부동산을 명의신탁할 경우 명의신탁자에 대해서는 부동산가액의 30%에 상당하는 과징금을 부과한다. 만약 그래도 실명등기를 하지 않을 때는 첫해에는 부동산가액의 10%, 둘째 해에는 20%의 이행강제금을 부과하며, 아울러 5년 이하의 징역 또는 2억 원 이하의 벌금에 처하도록 되어 있다. 한편, 명의수탁자에 대해서도 3년 이하의 징역 또는 1억 원 이하의 벌금에 처한다.

마지막으로 명의신탁한 재산이 부동산 외의 재산(특히 주식)이면 상속세 및증여세법상 명의신탁 재산의 증여의제(부동산 제외) 규정에 따라 증여세를 부과하는 것이다.

부동산을 제외하고 권리의 이전이나 그 행사에 등기 등이 필요한 재산(특히 주식)에서 실제 소유자와 명의자가 다른 경우에는 실질과세원칙에도 불구하고 명의자로 등기 등을 한 날에 그 재산의 가액을 그 명의자가 실제 소유자로부터 증여받은 것으로 보아 명의수탁자에게 증여세를 부과하게 된다. 다만, 이 규정은 조세회피 목적이 없는 명의신탁에 대해서는 적용하지 않는다.

역·탈

제 **4** 화

해외현지법인명세서의 제출

장 "잠시만요? 회장님."

장태란은 홍학익 회장이 물어본 홍콩의 파리스팅 유한공사의 주식명의신탁과 관련하여 세무상담을 하고는, 뭔가 마음에 걸리는 것이 있어 전화를 붙잡 는다.

장 "혹시 그 홍콩 파리스팅 유한공사 설립할 때는 해외투자 신고하셨 나요?"

홍 "그건 정식으로 홍콩에 상장하려고 만든 것이 라 금융기관에 맡겨서 제대로 신고했는데요."

장 "그러면 홍콩 파리스팅 유한공사의 실적은 있

는지요?"

홍 "거긴 홍콩에 상장하려고 만든 지주회사 개념이어서 특별히 수익이 날만한 것이 없어요. 한 3년 법인 유지수수료만 통장에서 나가고 있는데, 그거 관리비용도 만만치 않아요. 암튼 없어요. 그런데 수익이 있으면 안되나요?"

장 "아, 그게 홍콩 소재 법인의 실제 법인세 부담률이 경우에 따라 15% 이하가 되면 그 법인은 조세회피처에 속한 법인이라고 판단해서 그 법인의 소득에 지분율만큼을 투자한 주주가 배당*받았다고 봐서 우리나라에 세금을 내야 하거든요."

* 주식에 투자한 투자자가 그 주식을 발행한 법인으로부터 잉여금을 나눠받는 것을 말하는데, 조세회피처에 설립한 법인으로부터 배당을 받지 않는 경우에는 배당받은 것으로 간주하기도 한다.

홍 "홍콩회사에게 배당 같은 걸 주지도 않았는데 배당을 받은 것으로 본다고요? 그라믄 홍콩에 있는 회사에 투자한 우리나라 사람들은 우리나라 국세청에서 다 배당세금을 신고해야 하는거요?"

장 "아뇨. 조세회피처라도 그 국가, 홍콩 같은데서 사업장을 가지고 그 법인 자체적으로 사업관리를 하면 홍콩에서 아무리 이익이 많이 나도 실제 배당을 받지 않았으면 배당을 받았다고 일방적으로 보는 그런 규정을 적용할 수 없는 것이 원칙이에요. 그런데 도매업, 금융보험업, 사업시설관리업, 주식채권의 보유나 지식재산권 제공, 각종 장비의 임대나 신탁이나 기금에 투자하는 법인은 예외거든요. 홍콩 파리스팅 유한공사는 아직은 실적이 없지만 아무래도 주식채권의 보유를 주된 사업으로 하는 회사이므로, 만약 그 회사에 이익이 많이 나면 실제 배당을 받지 않았어도 받은 걸로 봐서 그 주주들은 국세청에 배당세금 신고를 해야 합니다."

홍 "뭐 그런 엉터리 규정이 다 있노?"

장 "그건 우리나라 사람들이 조세회피처에 회사를 설립하고 그 이익을 다 쌓아두고도 배당을 받지 않아 우리나라에 세금을 한 푼도 내지 않으려는 걸 막기 위한 국제적 규정이에요."

예를 들어 우리나라 사람이 홍콩에서 무역업을 하는 법인을 차려두고 해외 영업을 통해 돈을 번다고 해도, 홍콩 세무당국은 이를 Off-Shore(역외소득 비과세)이라는 홍콩의 비과세 제도를 적용해서 세금을 면제하고 있다.

그러다 보면 홍콩에 투자한 사람들은 홍콩 세무당국에 내는 법인세가 없고, 그 유인효과로 인하여 우리나라뿐만 아니라 해외 각국의 투자자들이 홍콩에 법인 사무소를 두게 된다. 홍콩이라는 조그만 섬에 수많은 해외 법인이 설립되어 있는 이유가 바로 이 Off-Shore 때문이기도 하다.

또한 홍콩은 외환거래에도 특별한 제약을 두지 않는데, 사실상 홍콩은 그 많은 회사의 설립과 은행계좌개설 및 외환거래에 대하여 상대적으로 고액의 수수료를 세금 대신 취하고 있는 형편이기도 하다.

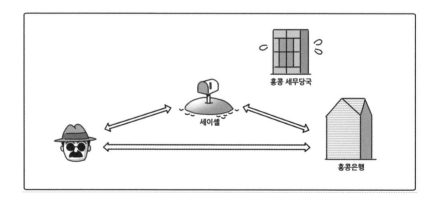

이렇듯 홍콩과 같이 Off-Shore를 두는 나라에 회사를 설립하고 그 회사에 영업이익을 쌓아두면 홍콩에도 세금이 없고, 그 이익을 배당하지 아니하면 홍콩 회사에 투자한 투자자들도 세금이 없으니 우리나라에 회사를 설립하는 것보다 세금 측면에서 훨씬 유리하다.

다만 요즘 들어 홍콩은 Off-Shore 제도의 적용을 매우 제한적으로 해석하여 홍콩법인에 과세하고 있고, 따라서 홍콩이 조세회피처에 해당하지 않는 경우가 더 많다.

그러나 홍콩은 버뮤다, 영국령 버진아일랜드, 케이맨제도, 마셜제도, 세이셸 등에 설립된 회사의 금융계좌가 개설된 곳이기도 하다. 예를 들어 세이셸에 법인을 설립하고 그 금융계좌는 홍콩에 소재하는 은행을 통해 거래하면 홍콩 세무당국마저도 Off-Shore 제도를 제한적으로 해석하지 못한다.

여하간 우리나라 세법은 조세회피처를 통한 이러한 투자왜곡현상을 시정하기 위하여 조세회피처에 설립된 회사에 유보된 이익에 대해 배당하지 않아도 배당한 것으로 보아 그 투자자에게 세금을 물리는 제도를 두고 있는데, 이를 소위 "간주배당" 제도라고 한다.

🔵홍 "그런데 뭐 늦은 시간에 식사는 하셨습니까?"

홍회장도 6시에 미팅하고 얼마 전에 인사하고 보낸 걸 기억하는지 늦은 인사치레를 한다.

🔵장 "저는 저녁을 잘 안 먹는 편이에요. 그런데 회장님이 출출하시겠어요?"

장태란은 이미 저녁식사를 하고 있었으면서도 홍회장의 인사치레에 의미도 없는 거짓말을 한다. 저녁에 저녁밥을 먹는 것이 뭐가 이상한 일이라고.

- 홍 "뭐, 아닙니다. 요즘 하도 흉흉한 일이 많아 입맛도 없어요. 그럼 이만."
- 장 "아니요, 잠깐만요. 저도 파리스팅은 실적이 없을 것 같았어요. 그래서 홍콩에서 이익이 났을 때 배당같은 얘기는 그냥 세금상식으로 드린 거구요. 지금부터가 중요해요."
- 홍 "그럼 아직도 세금문제가 있다는 거예요?"
- 장 "그럴 것 같은데… 회장님, 혹시 파리스팅 유한공사에 투자하신 내역을 종합소득세 신고시 신고하셨나요?"
- 홍 "네? 뭐 외환투자거래 신고하는 것 말고 또 일이 있나요? 저는 회사에서 월급받고 사는 사람이라 연말정산*말고는 다른 건 잘 모르는데…"

* 급여소득에서 원천징수한 소득세에 대하여 회사에서 연말에 그 과부족을 정산하는 일

- 장 "역시 그러셨네요. 2013년까지는 해외법인 투자와 해외부동산 취득 및 운용에 관해 세금탈루 혐의가 있는 자에게 국세청이 협조 형식으로 자료제출을 요구하고 이에 비협조할 때만 과태료를 부과했어요. 하지만 2014년부터 종합소득세 또는 법인세 법정신고기한까지 해외현지법인명세서 등을 제출하도록 개정해서 제때에 제출하지 않으면 수백만 원의 과태료를 부과하도록 조치했습니다. 2014년과 2015년 종합소득세 때 해외현지법인명세서를 제출하지 않은 것이 문제가 되겠네요."

해외법인에 직간접으로 투자를 하거나 해외부동산을 취득·운용한 사실이 있는 거주자나 내국법인은 종합소득세 또는 법인세 법정신고기한

까지 국세청에 해외현지법인명세서 등을 제출해야 한다. 만일 제때에 제출하지 않으면 세금을 추징당하는 것은 물론, 누적 과태료도 물어야 한다[2].

해당 과세기간 말 현재 해외법인에 직간접으로 투자한 거주자나 내국법인, 해당 과세기간 중에 해외부동산이나 권리를 취득 또는 투자운용(임대)한 사실이 있는 거주자나 내국법인이 신고의무자가 된다.

글로벌 시대에 해외법인 및 해외부동산에 대한 투자가 많아지는 것은 어쩌면 당연한 일일 것이다. 하지만 국세청이 세원稅源 확인을 하기 어렵다는 점을 악용해 해외법인이나 해외부동산에 투자하고, 이를 세무당국에 신고하지 않는 일도 꽤 많은 것이 사실이다.

거주자와 내국법인은 국내외 모든 원천소득에 대해 종합소득세 또는 법인세를 신고·납부해야 하는데, 해외소득을 탈루하는 일이 잦았다는 것이다. 하지만 지금은 국가 간에 정보교류, 특히 금융계좌정보교류가 원활하고 광범위하게 이뤄지고 있으며, 우리나라 등기부를 누구나 인터

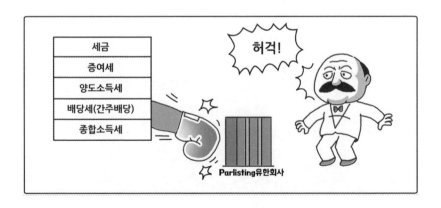

---

2) 2017년 절세테크 100문 100답 p.303~305 인용, 장보원

넷으로 조회할 수 있는 것처럼 해외부동산도 주소만 있으면 바로 소유주를 확인할 수 있으므로 주의해야 한다.

- 홍 "허허. 그러면 과태료는 얼마나 될 것 같습니까?"
- 장 "현재는 위반 건당 300만 원입니다. 2건이라 6백만 원 정도 나올 것 같은데, 그건 세무서가 알아서 고지하는 거라서요. 신고기한 경과 후 2달 내 신고하면 30%를 빼 주는데 벌써 겨울이네요. 그런데 이 과태료는 요즘 추세에 따르면 계속 오를 거예요. 국제적 세금탈루를 방지하려는 노력이 크니까요. 다음 번엔 잊지 말고 신고하세요."

계절을 잊고 사는 사람처럼 지내다가 신고기한을 역산하다보니 겨울이라는 것이 문득 떠올라, 3년 전 집행유예로 풀려나 미국으로 도피한 대휴마린 주식회사의 대표이사 이강재가 떠오른다.

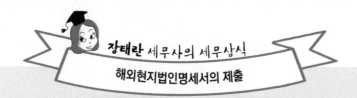

• 해외직접투자 또는 해외부동산에 투자한 거주자와 내국법인은 종합소득세 확정신고기한 또는 법인세 확정신고기한까지 그 투자규모에 따라 기본적으로는 해외현지법인명세서, 기타 서류로 해외현지법인 재무상황표와 손실거래명세서, 해외영업소 설치현황표를 제출해야 하다. 또 해외부동산 취득 · 운용의 경우에는 해외부동산 취득 및 투자운용(임대)명세서를 제출해야 한다.

• 만일 해외현지법인명세서 등과 해외부동산 취득 및 투자운용(임대)명세서를 법정신고기한까지 제출하지 않거나 거짓으로 제출하고, 미제출 또는 거짓 제출한 자에 대해 관할세무서장이 추가로 자료제출(보완)을 요구했는데 정당한 사유 없이 추가 요구기한까지 미제출 또는 거짓 제출을 한다면 이를 신고위반, 협조위반으로 보아 과태료를 부과한다. 또한 해외부동산 등의 투자명세를 제출하지 않거나 거짓으로 제출해도 취득가액의 일정액을 과태료로 부과한다.

역·탈

제 5 화

톤세 제도

2년 만에 연락이 되어 아주 진하게 홍학익 회장에게 시달린 하루는 장태란에게 무척 긴 시간의 기억을 소환하고 있었다. 늦은 저녁 혼자 사무실에서 배달시킨 초밥 도시락을 먹다가 문득 3년 전 미국으로 도피한 대휴마린 주식회사의 이강재 대표이사를 떠올리며, 그를 알게 된 10년 전 무렵 2006년의 어느 기억들이 두서없이 떠오른다.

📞 "장세무사님, 저 괜찮은 해운사에 취직했어요. 앞으로 많이 도와주실 거죠?"

장태란이 2002년 세무사무소를 개업하면서 같이 세무업무를 시작했던 오윤정 주임이 3년 뒤쯤 임신이 되어 출산휴가를 보내고는 복귀할 무렵, 문득 '새로운 일을 찾고 싶어요'라며 취직한 대휴마린 주식회사.

그리고 그 인연으로 오윤정 주임은 장태란을 찾아와 세무신고업무를 맡기면서 뿌듯해 하고 있었다.

🏢 "그럼그럼. 어떤 회사야? 처우는 괜찮고? 그런데 갓난아기 키우기도 쉽지 않은데 해운사에 다니면서 괜찮겠어? 출퇴근은 자유롭고?"

💁 "괜찮아요. 요즘 해운사 경기가 엄청 좋나봐요. 급여도 많이 주시고 이제 창업한 지 3년째인데 매출이 200억이나 되더라구요. 쓰는 경비도 별로 없는 것 같구요."

🏢 "그래? 해운사 세무처리하다가 알려줄 것 있으면 같이 해. 나도 배우고 좋지 뭐."

개업 5년 차였던 장태란 세무사는 한참 일 배우는 재미에 빠져 있었고, 같이 일하던 직원이 더 좋은 곳으로 이직한 것을 진심으로 축하해 주고 있었으며, 그 직원이 해운사에 취직해서 자신에게 세무대리 업무까지 소개시켜주니 기분이 한껏 좋았었다.

💁 "이번에 제가 법인세 세무조정*으로 세무사님을 추천드릴께요. 우리 사장님 총각이시니 처녀 세무사라고 하면 무조건 오케이 하지

않을까요? 하하."

* 세법규정에 따라 세무회계상의 과세소득을 계산하는 절차로서 일정 규모의 회사는 반드시 세무사에 게 업무를 위임하여야 함.

장 "호호 나는 좋지. 일도 하고 님도 찾고. 하하."

오윤정 주임이 이직한 해운사, 대휴마린 주식회사와는 그렇게 인연이 되었고, 2006년 귀속 법인세 세무조정을 장태란이 맡게 되면서 이강재 대표와 만나게 되었다.

그런데 지금 생각해 보면 당시 대휴마린 주식회사는 법인세 계산방법 의 선택에 문제가 있었다.

2005년 기획재정부는 해운업계의 국제경쟁력 강화를 위하여 법인세 부담을 줄여주고자 외항운송 선박회사(국제해운사)에 톤세 제도(tonnage-tax)를 선택적으로 도입했다.

톤세 제도(tonnage-tax)란 회사의 실제 영업이익을 과세기준으로 삼는 일반적인 법인세와는 달리, 운항한 국제선박의 톤수를 기준으로 산출한 추정이익에 대해 법인세를 과세하는 제도이다. 그런데 이 제도는 해운 업계가 호황일 때는 절세효과가 있고, 불황일 때는 오히려 불리하게 작 용한다.

2005년 당시 톤세 제도를 도입하면서 기존의 해운사는 톤세 제도를 선택할 수도 있고, 선택하지 않으면 일반적인 영업이익 기준의 법인세 신고를 하면 되었다. 톤세 제도를 선택한 법인의 경우 사업연도 종료일 로부터 3개월이 되는 날인, 통상적으로 2006년 3월 31일까지 톤세 제도 를 선택한 사실을 관계당국에 신고하여야 했고, 그럴 경우에는 2005년

1월 1일부터 2009년 12월 31일까지 5년 간은 무조건 톤세 제도로 법인세를 신고해야 했다.

향후 해운업계의 호황이나 불황을 예측할 수 없는 터라, 이 당시 많은 해운사는 법인세 계산방식의 선택문제로 고민에 빠져 있었다.

그런데 톤세 제도를 선택하지 않은 해운사는 이번 한차례 기회를 놓치면 5년 후인 2010년까지 기다려서 톤세 제도를 신청해야만 했는데, 대휴마린 주식회사는 2006년 3월 말까지 톤세 제도를 선택하지 않았기 때문에 향후 5년 간은 일반적인 법인세로 세무신고를 해야 했다.

그러나 2005년부터 2008년 리먼 브러더스 사태 전까지 해운운임지수(BDI)가 폭등하였기 때문에 그 당시 톤세 제도를 선택한 기업은 영업상 엄청난 이익에도 불구하고 운항한 선박의 톤수를 기준으로 법인세를 냈기 때문에 상당한 절세효과가 있었던 반면, 2008년 리먼 브러더스 사태 이후 해운운임지수는 1/10 토막으로 추락하면서 톤세 제도보다 오히려 일반적인 법인세 신고(사실상 손실신고)가 훨씬 유리한 형국으로 바뀐다.

그러다 보니 정부는 2009년 초 법령을 개정하여 톤세 제도를 적용받

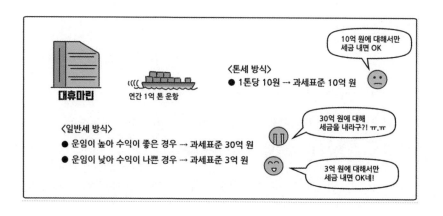

으려는 기업은 아무 때나 선택적으로 톤세 제도를 선택할 수 있도록 선택기간을 유동화하면서(다만, 톤세를 선택하면 최초 적용받고자 하는 사업연도 과세표준 신고기한부터 5년간 톤세 제도 계속 적용), 그 당시 리먼 브러더스 사태로 어려움을 겪고 있던 해운사에게는 이미 선택한 톤세 제도를 포기할 수 있도록 조치해 주었다.

대휴마린 주식회사는 2005년부터 2008년까지 해운업계의 호황기간에는 법인세 납부에 있어 톤세 제도를 선택한 선박회사보다 훨씬 더 큰 부담을 해야만 했다. 지금처럼 그때 누군가 2008년 리먼 브러더스 사태와 톤세 제도의 개정을 예측했다면, 당연히 처음에는 톤세 제도를 선택하고 2009년에는 톤세 제도를 포기했겠지만 말이다.

장태란 세무사가 대휴마린 주식회사의 이강재 대표를 처음 보게 된 것은 2007년 3월의 어느 날 법인세 세무조정을 하기 위하여 광화문에 있는 대휴마린의 본사를 방문했을 때였다. 이때 대휴마린 주식회사의 법인세 신고방식은 톤세 제도가 아닌 일반적인 법인세 신고방식이었다.

장 "장태란 세무사입니다. 반갑습니다."

장태란은 오윤정 대리의 안내로 이강재 대표와 회의실에서 처음 미팅을 했다.

이 "이강재라고 합니다. 오윤정 대리가 세무사님 칭찬을 많이 하시더라구요. 잘 부탁드립니다."

30대 미혼의 선남선녀가 만났으니 업무도 업무지만 서로에게 약간의 사심같은 걸 느끼고 있었던 것 같기도 하다.

장 "네 대표님, 크게 성장할 기업의 세무조정을 맡게 되어서 제가 영광입니다. 그간 오윤정 대리를 통해 대휴마린의 현황에 대하여 많은 얘기를 들어서 마치 제가 오랫동안 회사 일을 대리해 온 느낌입니다. 열심히 하겠습니다."

이강재는 장태란의 당찬 모습에 호감을 느꼈다.

⊙ "네, 잘 해 주실 것으로 알고 있겠습니다. 나중에 세무업무를 마치시면 저녁 시간을 좀 내어 주시죠. 인사도 드릴 겸 제가 개인적으로 여쭤 볼 것도 있구요."

이강재 대표는 멋쩍은 듯 웃으면서 말했다. 장태란은 깔끔한 슈트 위에 청색 코트를 차려입고 짧은 목도리를 맨 이강재가 왠지 근사해 보였다. 일전부터 오윤정 대리가 30대 중반의 청년 사업가 이강재가 아직 총각이라며 많은 얘기를 들려준 까닭에 호감을 가져서였을까?

⊛ "오늘 내일은 전반적으로 회사장부를 검토하고 모레쯤 대부분의 법인세 이슈를 확정하려고 합니다. 모레 저녁시간 어떠세요? 불금이기도 한데."

장태란은 이강재가 청한 저녁식사가 기대되었고, 먼저 날짜까지 잡는 선공을 취했다.

⊙ "그럼 모레 저녁시간에 뵙는 것으로 알고 준비해 놓겠습니다. 처음

뵙는데 우리 악수 한 번 할까요?"

이강재 대표도 전문직으로 제일 날이 서 있는 듯한 5년차 세무사인 장태란의 자신감 있는 모습에 매력을 느끼고 있었다. 그리고 악수를 하며 슬며시 잡은 장태란의 손이 오리털처럼 부드러워 놓고 싶지 않을 정도였다.

⬤장 "이제 일 좀 해 볼까?"

장태란은 오윤정 대리에게 한껏 자신감을 뽐내며 가지고 온 노트북을 열었다.

해운사라고 하지만 일반적인 법인세 세무조정은 톤세 제도를 선택하지 않은 이상, 일반적인 다른 업종의 회사와 별반 다를 바는 없다. 장태란 세무사는 법인세 이슈 대부분을 검토하면서 세무조정을 끝냈다. 그러나 영업이익이 커서 법인세 부담세액이 10억 원 가까이 나오는 것에 적잖이 부담을 느끼고 있었다.

⬤장 '아직까지는 성장하는 회사라, 대부분의 중소기업 오너들은 10억
    이라면… 어떻게든 법인세를 줄여보라고 할텐데… 톤세 제도를
    신청하지 않아 다른 세금공제와 세금감면을 다 적용할만큼 했는
    데 더는 어떻게 해 볼 도리가 없어.'

모든 세금은 사전에 예측해서 미리 준비하면 합법적 방법으로 줄일수 있다. 그러나 일이 모두 끝난 뒤 세금을 계산하는 것에는 특별한 비법이 없다. 그럼에도 불구하고 만약 어느 사람이 찾아와 세법이 예정하지 않은 절세방법을 알려준다고 하면, 그는 십중팔구 세금탈루와 연결돼 구전□錢을 받으려는 사기꾼일 가능성이 높다.

세금은 '회사의 이익극대화'라는 명제 아래 탄력적으로 조절될 수 있는 것이 아니다. 확정된 이익에 확정된 세금이 있을 뿐, 확정된 이익에 임의로 조절될 수 있는 세금이란 없다[3].

사전에 합법적으로 줄인 것이 아니라면, 세무사가 아니라 국세청 할아버지가 와도 그건 절세가 아니라 탈세거나 조세회피이다. 모든 일이 다 끝난 뒤에 세금을 줄이려 한다면 한마디로 어불성설이다.

탈세는 부과시효가 최대 10년이기 때문에 그 안에 적발되면 가산세까지 포함해 세금폭탄을 맞게 되고, 잘못하면 사업을 접어야 할 수도 있다는 것을 알아야 한다. 또한 이런 부조리를 조장하는 자에게 탈세수수료까지 주는 어리석기 짝이 없는 행동도 삼가야 한다.

그러나 이렇게 쉬운 세금의사결정을 막상 사업으로 하게 되면 여러 가지 유혹에 휩싸여 탈세를 하는 방향으로 선택하기도 한다.

장태란 세무사는 이제 등록 5년차 세무사로서 실력도 갖추고 있었고 직업적 윤리의식도 갖춰가고 있었다. 그러나 주변에는 무리한 탈세요구를 하는 사업자도 심심치 않게 있었고, 또한 몇몇 세무대리인들은 그 무리한 요구에 맞추어 가짜 경비를 넣는 등 탈세에 협력하기도 했다.

장태란은 대휴마린의 이강재 대표가 법인세가 많다면서 가짜 경비를 넣어달라는 불법적인 요구를 할 지도 모르겠다는 생각을 잠시하게 된다.

🟢 '번만큼 내는 것이 맞는 일이지만 내일 대표이사가 무리한 탈세요구를 하면 일을 그만 둘 수밖에. 그럼 인연이 아닌가 보지 뭐.'

🟢 "오윤정 대리님, 그런데 왜 대휴마린은 작년 2006년 3월에 톤세 제도 신청 안했어요? 특별한 이유라도 있나요?"

---

3) 2017 절세테크 100문 100답 p.154 인용, 장보원

🅞 "실은 제가 회사에 입사한 게 작년 가을이라 잘 모르겠어요. 2005
년도 경영실적도 좋아서 톤세 제도를 선택할 수도 있었을 텐데,
전임자가 대표이사님께 좋은 방향으로 건의하지 못하고 그만 둔
것 같아요. 매출이 급성장하면서 무역과 회계쪽 일이 많이 늘었
는데 전임자가 약간씩 미숙하게 해 둔 것도 있어서요, 처우가 좋
았지만 그만 뒀다네요. 덕분에 제가 좋은 자리 찾아왔지만요. 전
년도까지 세무조정했다는 세무사님도 톤세 제도 건으로 연락을
드렸더니, 자기는 도장만 찍었다고 하면서 연락을 기피하시더라
구요."

🅙 '그렇군. 새로운 제도가 도입되면서 제때 검토하지 못한 거였구나.
제도 도입 첫해에 신청하게 하고 미신청시 5년을 기다리게 하는
건 조금 심했어.'

톤세 제도

• 톤세 제도란 해운기업의 소득을 해운소득과 비해운소득으로 구분하여 해운소득에 대해서는 실제 영업이익이 아닌, 선박의 순톤수와 운항일수를 기준으로 산출한 선박표준이익을 토대로 하여 법인세를 계산하는 제도이다. 반면 비해운소득은 일반적인 법인세 계산방식을 따른다.

• 1996년 네덜란드가 자국의 해운산업의 경쟁력 강화를 위해 도입한 후 유럽 각국에서 톤세 제도를 시행하였다. 우리나라도 경쟁해운국가와의 대등한 조세환경을 조성하여 국가경쟁력을 확보하고자 2004년 조세특례제한법을 개정하여 제도를 도입하고 2005년부터 시행하였다. 아시아 국가로서 최초의 일이었다.

• 한편 2005년 도입 후 2006년 3월 말까지(12월 말 결산법인 기준) 톤세 제도 신청을 받고 이후 5년간은 선택한 방식으로 법인세 신고를 하도록 하였으나, 2009년 초 법령을 개정하여 톤세 제도를 적용받으려는 기업은 최초 적용받고자 하는 사업연도 과세표준 신고기한부터 5년간 톤세 제도를 적용받을 수 있도록 하고, 그 당시 리먼 브러더스 사태로 어려움을 겪고 있던 해운사에게는 톤세 제도를 포기할 수 있도록 조치해 주었다.

역·탈

제 6 화

이전가격세제

이 "앉으세요. 세무사님, 일하느라 고생하셨죠. 어떠셨어요? 저희 회
사 처음 세무조정하시면서."

이내 이틀이 지나 불금이 되었고, 이강재 대표는 한강이 내려다보이는
63빌딩의 워킹온더클라우드(Walking on the cloud)로 장태란 세무사를 불러
내었다.

장 "대휴마린의 매출과 영업이익이 같이 성장하니까 확실히 건실한
회사구나라는 느낌을 받았어요. 다만, 법인세 부담이 크니까 제가
괜히 세금을 많이 내게 하는 것 같아서 마음이 편치는 않아요."

이 "아까 오대리로부터 법인세 부담세액 얘기는 들었습니다. 번만큼
내야죠."

장태란은 이강재의 담담한 반응에 내심 '나이스한데.' 하면서 어쩐지 오랫동안 인연을 가질 것 같은 좋은 느낌을 받았다.

🟣 "그런데 왜 작년에 톤세 제도 신청 안하셨어요? 대휴마린의 톤세 정보를 살펴보지는 못했지만, 일반적으로 해운업황이 좋으면 톤세 제도가 법인세 내는데 유리하다고 해서요."

🔵 "세무사님, 그 제도에 대해 잘 아세요?"

세무전문가도 아닌 이강재가 무척 돌직구같은 질문을 던졌다.

🟣 "아뇨. 실무적으로 잘 아는 편이 못돼요. 다만, 이론적으로는 공부했죠. 작년에 처음으로 도입되어 실전에서 공부하고 싶었는데, 그게 안돼서 궁금하기도 해요."

🔵 "솔직하시네요. 그런데 지금은 저희 회사가 보시기에 매출도 성장하고 영업이익도 좋고 그래 보일 지 모르지만, 해운시황이라는 것이 어디로 튈지 모른답니다. 시황이 좋아 이익이 크면 톤세가 유리하겠지요. 그런데 톤세를 잘못 신청하면 낭패를 볼 수도 있습니다. 회사가 적자를 내도 톤세는 세금을 내야 하거든요. 이게 한

번 신청하면 5년간 톤세 제도로 가야 하는데, 해운시황이 꺼지면 큰 손해가 될 수도 있다는 판단에서 일반적인 법인세 신고방식으로 가기로 한 겁니다."

이강재는 오대리의 얘기처럼 전임자가 자세한 정보(Information)를 주지 않아서 톤세를 신청하지 않은 것이 아니었다. 자기 나름대로 해운시황을 판단했고 번만큼 낸다는 말처럼 톤세 제도보다 영업이익에 따라 세금을 내는 방식을 선택한 것이다. 그러나 그것이 자기 발목을 잡게 될 줄은 꿈에도 생각하지 못했다.

이 "세무사님, 세무사님은 앞으로 해운사업이 지금보다 더 번성할 것 같으세요?"

장 "저는 세금에 대해서만 전문가죠, 해운비즈니스는 대표님께서 판단하셔야죠. 하지만 톤세 제도를 도입한다는 자체만으로도 우리나라가 해운산업을 지원한다는 것이니, 저는 긍정적인 방향으로 해운업을 볼 수 있을 것 같아요."

시크한 장태란이 평소와는 달리 점점 공손하고 다소 소심하게 이강재를 대하고 있었다.

이 "장세무사님. 제가 궁금해 하는 얘기 전에 와인 좋아하시면 가볍게 와인 한잔 어떠세요?"

장 "와인을 잘 모르지만 분위기가 좋으니 한잔해도 좋을 것 같아요."

이 "한강이 내려다보이는 63빌딩의 워킹온더클라우드(Walking on the cloud)이니 클라우드 배이(Cloudy bay) 추천해 봅니다. 나쁘지 않으시면요."

처음 듣는 술 이름이였지만, 장태란은 이강재의 허세도 싫지 않았다.

장 "부담스럽지 않은 술이면 다 괜찮아요."

평소에 소주를 즐기는 장태란이 어쩐 일인지 부담스럽지 않은 술이라
니…

이 "동 베리농 같은 비싼 화이트와인은 아니지만 가성비가 좋은 화이
트와인이죠. 세무상담수수료라고 생각할 수준의 가격이니 괜찮아
요. 그리고 한 잔만 드세요. 부담스럽지 않게."

장태란은 이강재 대표의 무난한 매너와 자연스런 말투에 빠져 들어
와인을 곁들여 식사를 하면서 어느새 이런저런 이야기를 나누고 있었다.

이 "장세무사님, 즐거운 시간이었어요. 제가 평소에 궁금했던 것인데
세금 이야기라 지금 묻습니다."

장 "그럼 이제부터는 제가 주도하는 시간이군요. 궁금하신 것 맘껏 물
어보세요."

장태란은 화이트와인 한잔에 취할 여자가 아님에도, 구름 위를 걷는
듯 분위기에 취했는지 허세를 부리고 싶었다.

이 "우리 회사가 운항하는 국제선박에는 운항 중에도 기름을 넣어야
합니다. 그런데 그게 우리나라에서만 넣는 것이 아니라 다른 나라
에 가서도 급유를 하거든요. 현재까지는 전 세계에 네트워크를 가
진 대형유류회사를 통해서 공급받고 그 유류회사에서 세금증빙을
받았는데, 제가 아는 사람이 유류회사를 따로 만든다고 제게 투자
를 하라고 하네요. 그럼 제가 투자한 회사로부터 저희 회사가 기
름을 받는 것인데, 유류대금은 제 마음대로 정할 수 있습니까?"

세금이란 것에 대해 묻는 사람은 아주 많이 생각해서 묻는 경우도 있

고, 여러 곳에 물어서 이미 답을 아는 경우도 있고, 듣고 싶은 답을 정해서 묻는 경우도 있다.

장태란은 지난 6년 동안 많은 세무상담을 통해, 고객의 이야기를 정확하게 듣고 그 답을 이제 막 책에서 읽은 것처럼 명확하게 전달하는 길이 최선임을 잘 알고 있었다.

듣고 싶은 답을 해 주는 것이 아니라 BY THE BOOK, 원칙대로 하는 것이 최선이라는 것이다.

장 "대휴마린이 거래하는 유류매입처 중 대표님이 투자하신 회사가 있다면, 그 회사는 대휴마린과 특수관계가 있는 회사입니다. 특수관계자 간에 거래를 할 때는 반드시 시가로 거래해야만 그 세무상 경비를 인정받을 수 있습니다. 만일 시가거래를 하지 않아 세금을 적게 낸 회사가 있다면 세무당국이 세금을 추징합니다. 반면에 시가거래를 하지 않아 이익을 본 회사에 세금을 환급해 주지는 않습니다."

이 "조금 어려운데요?"

장 "예를 들어 대휴마린이 대표님께서 투자한 유류회사로부터 구입한 유류대금이 1억 원인데, 실제 그 유류의 시가가 8천만 원이라면 대휴마린은 기름을 비싸게 산 셈이죠. 대휴마린은 결과적으로 2천만 원 손해를 본 겁니다. 반면 그 유류회사는 2천만 원의 이익이 더 생긴 셈이죠. 그런데 과세당국은 손해 본 대휴마린에는 2천만 원의 손실을 부인하면서 법인세를 추징하고, 2천만 원의 이익을 본 유류회사는 그냥 놔두죠. 왜냐하면 그 유류회사는 그 초과이익에 대해 이미 법인세를 더 많이 냈으니까요. 이걸 세무전문용어로 '부당행위계산부인*'이라고 합니다."

* 국내 특수관계자 간 비정상적인 가격으로 거래하여 이익을 분여한 경우, 그 이익 분여자를 세금으로 규제하는 제도

이 "아, 유류회사가 1억 원을 매출로 해서 세금신고를 했기 때문에 시가 8천만 원으로 세금신고한 것보다 세금을 많이 낸 거라는 얘기죠. 그리고 경비가 8천만 원이면 충분한 대휴마린이 1억 원으로 경비를 많이 산정한 것은 그 차액 2천만 원만큼 경비부인하구요."

장 "오호, 이강재 대표님 세무사 시험 보셔도 되겠는데요? 하하."

이 "그런데 이상해요. 그냥 시가 8천만 원으로 유류거래를 하면 유류회사는 매출 8천만 원에 대해 법인세를 내고, 대휴마린도 8천만 원의 경비를 인정받는데, 1억 원으로 유류거래를 하면 대휴마린은 언제나 8천만 원의 경비만 인정해 주면서 왜 유류회사는 매출 1억 원으로 세금을 내라고 하나요?"

장 "그건 부당행위계산부인규정 자체가 부당한 행위를 규제하기 위한 목적이기 때문이에요. 그런데 국제거래에 있어서는 조금 달라요. 국제적으로 특수관계가 있는 회사간에 부당한 행위계산을 하더라도 이건 부당행위계산부인이 아닌 '이전가격세제*'라는 것으로 규제하거든요. 규제방식은 부당행위랑 원리가 같은데 이전가격세제

대표님 세무사 시험 보셔도 되겠는데요? 호호

를 적용하면 국제적 이중과세를 해소하기 위하여 세금을 많이 낸 회사의 세금을 환급해 주는 제도를 운용하고 있어요. 이를 대응조정이라고도 하죠.

> * 국외 특수관계자 간 비정상 가격으로 거래하여 이익을 분여한 경우, 그 이익 분여자를 세금으로 규제하는 제도. 단 이익을 분여받은 자의 세금환급규정 있음.

이 "오 그렇군요. 그런데 제가 유류회사를 홍콩에 두려고 합니다. 그럼 부당행위가 아니라 이전가격세제군요."

장 "이전가격세제는 맞는데, 아쉽게도 현재 홍콩과 우리나라는 조세조약이 체결되지 않았어요.* 이전가격세제에 의한 대응조정은 조세조약을 체결한 국가간 상호합의로 해요. 홍콩은 뭐, 사실 조세회피국가 아닌가요?"

> * 2016년 9월 27일자 "대한민국 정부와 중화인민공화국 홍콩특별행정구 정부 간의 조세조약에 발효됨.

장태란 세무사 특유의 시크한 말투가 나온다. 뭔가 냄새가 난다는 듯이.

이 "홍콩이 조세회피국가인가요? 전 그저 홍콩이 해운으로도 유명하기도 하고, 가깝고, 가끔 가서 쉬기도 좋아서 그런 겁니다. 차츰 사업이 구체화되면 더 자세히 상담드릴게요."

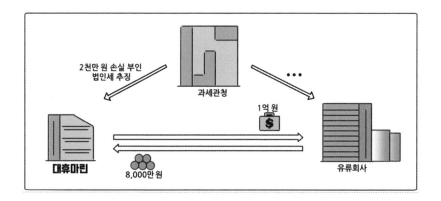

장태란은 살포시 취기가 올랐던 몇 분 전까지와는 달리 정신이 명료해진 자신을 발견한다.

🔵 "이강재 대표님, 3일 동안 대휴마린 법인 조정하느라 조금 긴장했나 봅니다. 더 살펴볼 자료 가지고 나왔거든요. 느낌이 식지 않을 때 제 사무실에 가서 마저 보고 퇴근하렵니다. 오늘은 진심으로 즐거웠습니다. 법인세 신고 끝나고 한 번 제가 청하겠습니다."

30대 중반의 청년 사업가 이강재와 이제 막 서른이 된 전문직 장태란의 첫 식사가 있던 날, 그 둘은 앞으로 이 세금문제로 닥칠 힘든 시간을 상상이나 할 수 있었을까?

장태란 세무사의 세무상식
이전가격세제

- 이전가격세제(Transfer Pricing)란 기업이 모자母子회사 등 국외특수관계자와 거래를 하면서 그 거래가격을 정상가격(시가)보다 높은 대가로 지불하거나, 낮은 대가로 받게 되어 과세소득이 감소하는 경우 해당 국가의 과세당국이 그 거래에 대해서 정상가격을 기준으로 과세소득금액을 재산정하여 세금을 부과함으로써 자국의 과세권을 보호하고 국제적인 조세회피를 방지하는 제도를 말한다.

- 이전가격세제가 적용되는 경우로서 이에 대한 국가 간 상호합의절차가 종결된 경우에는 당초 세금을 많이 낸 체약상대국締約相對國의 과세당국에 대응조정신청을 하여 과납한 세금을 환급받을 수 있다.

역·탈

제 7 화

영치세무조사(1)

"우웅…우웅…"

태란은 유리 탁자에서 웅웅거리는 핸드폰 진동소리에 잠이 깨어 비비 적거리면서 일어나 앉았다. 잠결에 핸드폰을 귀에 대고 침대 머리맡으로 등을 기대어 앉는다.

장 "여보세요."

오 "세무사님, 이상한 사람들이 와 있어요."

오윤정 과장의 다급한 목소리가 전화로 느껴진다.

장 "예? 오과장님. 무슨 이상한 사람들이요?"

오 "국세청에서 왔다는데요."

'회사가 조금 잘 나간다니까 파리가 꼬이는군.' 장태란은 아무 일도 아니라는 듯이 다시 침대에 누으면서 이야기한다.

🌀 "요즘 국세청 직원을 사칭하는 사람들이 꽤 있어요. 이것저것 회사 이야기를 물으면서 되지도 않는 세금문제를 이야기하고 잔돈을 좀 집어달라고 하는 사기꾼류인데요. 그런 사람들 아닐까요?"

장태란은 별거 아니라는 듯이 '최근 어느 거래처 중 세무서에서 나왔다면서 자기가 이 회사 담당으로 지정되었고, 신고한 세무자료를 확인하다보니 당초 세무신고한 것에 세무증빙자료가 부족한 걸 알았다면서 어떻게 하실 거냐고. 그래서 회계과장 주머니에서 10만 원을 꺼내서 점심값 하시고 세무서에 인사드리러 가겠다고 했더라고. 그런데 알고 보니 세무서 담당이 바뀐 적도 없고 앞으로 2년간은 안 바뀔 거라면서 도대체 누구냐고 세무서에서 반문하더라.'는 그런 얘기를 하고 있었다.

🌀 "세무사님, 정말 그랬으면 좋겠는데요. 이상한 게, 모두 검은 양복을 입고 와서 우리 직원들 각 책상 앞에 다 서 있어요. 그래서 지금 저는 화장실에서 전화드리는 거예요. 이게 무슨 일이에요?"

그때 문득 어제 먹은 술이 확 깨는 듯 뒷통수를 때리는 이 느낌! 장태란은 국세청의 영치세무조사를 직감했다.

영치조사란 증거인멸 등을 이유로 세무조사 사전통지 없이 사업장에 들이닥쳐서 회사 내 각종 서류를 영치*하고 컴퓨터 파일, 회사 이메일 계정을 통째로 카피하여 디지털 포렌식기법(컴퓨터·인터넷 등 디지털 형태의 증거들을 수집 및 분석하는 과학조사 기법)으로 세무조사하는 것을 말한다. 다른 표현으로 '예치조사'라고도 한다.

* 피조사자 등이 임의로 제출한 자료를 국가기관에서 영장 없이 맡아 보관하는 행위

장 "아무래도 느낌이 좋지 않아요. 지금 당장 갈께요."

'매년 회사가 크게 성장해 왔지만 이제 창업한 지 7년째인 중소기업에 무슨 국세청 영치조사란 말인가?' 차를 끌고 가는 내내 태란은 '아니겠지, 아니겠지.'라며 중얼거리고 있었다.

집에서 30분이면 가는 대휴마린 사무소를 어떻게 왔는지도 모르게 회사 출입문으로 들어섰다. 입구에서 꺾어들어가니 태란의 눈에 검은 양복들이 보였다.

장 '허! 맞구나.'
오 "장세무사님, 오셨어요."

오과장이 기다렸다는 듯 태란 앞으로 다가가자, 검은 양복의 한 남자도 따라오면서 태란에게 말을 건다.

검 "저기 회계자료가 있는 컴퓨터, 세무사님이 쓰는 거라면서요. 비밀번호가 걸려 있던데 비밀번호 좀 알려주세요."
장 "잠깐만요. 어디서 오셨습니까?"

검은 양복은 양복 주머니에서 조사관증을 꺼내어 보이며 "서울지방국세청에서 나왔습니다."라고 태연히 답한다.

장 "조사팀장님은 어디 계신가요?"
검 "컴퓨터 비밀번호 좀 먼저 풀어주세요. 지금 팀장님 뵐 때가 아닌 것 같은데요."
장 "세법이 규정한 납세자의 권리라는 게 있잖아요. 왜 여기 나오셨는지, 제가 알아야…"

말이 다 끝나기도 전에 훤칠하고 호리호리한 중년의 남성이 이강재 대표이사의 집무실 문을 열고 나온다. 뒤따라 이운재 부장이 나온다.

(황) "세무사님, 이제 오셨습니까? 제가 조사팀장이에요. 회계자료 있는 컴퓨터만 비밀번호 걸려 있다는데 좀 열어주세요. 뭐, 중요한 거라도 있습니까? 비밀번호까지 걸어놓게. 근데 참 미인이시네."

경상도 억양으로 입가에 미소를 지으면서 농을 치듯 말하는 폼새가 예사롭지 않다.

(장) "비밀번호는 다른 사람들이 함부로 컴퓨터를 못 쓰게 하려는 것이고. 특별한 거 뭐 있겠어요? 그런데 어떻게 나오신 겁니까?"

(황) "아, 그건 여기 이부장님과 다 이야기했어요. 사장님이 곧 오시면 될 것 같고 세무사님의 일은 아닌 것 같아요. 비밀번호만 가르쳐주세요."

(장) "제가 여기 세무대리인입니다. 당장이라도 제가 세무조사조력 위임장을 써 드리면 되지 않습니까?"

(황) "그래요? 부장님, 이분에게 조사조력 위임시키실 겁니까?"

세무사는 세무조사를 받는 본인을 조력하기 위하여 세무조사에 입회하거나 의견을 진술할 수 있는데, 이 경우 세무조사조력 위임장을 세무조사관서에 제출하여야 한다.

옆에 선 이운재 부장을 돌아보며 말하는 팀장의 억양에 위압감이 느껴진다.

(이) "아, 제가 처음이라 잘 모릅니다. 곧 사장님이 도착하시니 그때 정하시죠. 그리고 여기 이분은 저희 회사의 세무대리인이 맞습니다.

회사의 회계와 세무도 이분이 하시니 궁금하신 건 이분에게 물어
보세요."

(황) "아, 그럼 세무사님이 직접 회사의 회계와 세무도 하세요? 그냥 세
무조정만 해 주시는 게 아니고?"

(장) "네 그렇습니다. 아직까지 회계팀을 꾸리기에는 관리가 약해서 제
가 오윤정 과장을 도와서 같이 일하고 있어요."

(황) "그럼 대휴마린 비즈니스에 대해 잘 아시겠네. 사장님 오시기 전에
회사 매출이랑 비용 정리하는 거 좀 이야기 하시지요?"

조사팀장이 대표이사실로 다시 들어가니 이운재 부장과 장태란도 뒤
이어 들어가 의자에 앉았다. 태란은 의자를 앞으로 당기며 허리를 세워
본다. 아마도 그 서늘한 느낌에 위축된 모습을 보이고 싶지 않아서였을
것이다.

(황) "만난 것도 인연인데 수ㅕ인사나 합시다. 난 조사팀장 황도엽이라
하고, 옆에 있는 이 친구는 차인성 조사관이에요. 앞으로 이 친구
얼굴 자주 봐야하니 인사하세요."

깡마른 몸에 강인한 느낌의 얼굴, 차인성 조사관은 묵묵하게 몸을 일
으키며 명함 한 장을 태란의 앞 자리에 놓으며 나직히 "차인성입니다."
라고 말하고 다시 자리에 앉는다.

(장) "저는 장태란 세무사라고 합니다. 회사의 세무대리인이고 2년 전
부터 회사에 주 1~2회씩 나와서 회계처리 봐주고 세무신고를 대
리해 주고 있습니다."

🔵황 "세무사시고 직접 회계처리도 봐주시고… 지금부터 저희가 묻는 얘기에 대해 아시는 거 있으면 이야기 좀 해 주세요."

황도엽 팀장은 수년간 세무조사에 잔뼈가 굵었다는 듯이 처음 보는 태란에게 너무나 천연덕스럽게 질문조사를 하려고 한다.

🔵장 '느낌이 좋지 않아.'

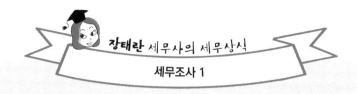

장태란 세무사의 세무상식

세무조사 1

- 국세기본법에서는 세무조사를 "국세의 과세표준과 세액을 결정·경정하기 위하여 질문을 하거나 해당 장부·서류 또는 그 밖의 물건을 검사·조사하거나 그 제출을 명하는 것"으로 규정하고 있다. 이를 줄여서 '질문검사권'이라고 한다.

- 이러한 질문검사권이 세무조사의 근거가 되는 것이다. 따라서 일단 세무서에서 소명확인을 요청하면 그게 바로 광의적인 측면에서 세무조사인 것이다. 통상 소명이 미흡하거나, 직접 방문조사의 필요성이 있을 때 일선 세무서 또는 지방국세청 세무조사팀이 방문조사를 나오면 우리는 이를 "세무조사가 나왔다"라고 표현한다. 그리고 대기업의 경우는 정기세무조사 명목으로 통상 4~5년 간격으로 세무조사가 나온다.

- 세법은 납세자가 세무조사를 받는 경우에 변호사, 공인회계사, 세무사로 하여금 조사에 참여하게 하거나 의견을 진술하게 할 수 있도록 규정하고 있다.

역·탈

제 8 화

영치세무조사(2)

🔵 "장태란 세무사님. 대휴마린은 비즈니스를 어떻게 하는가요?"

태란은 황도엽 팀장이 말하는 의미를 정확히 이해할 수 없었다.

🔵 "화물을 운송하는 국제선박을 운항해서 해운운임을 받는 해운사입니다."

🔵 "뭐 그건 다 아는 얘기고요, 홍콩으로 유류대금조로 돈을 자꾸 보내는데 그거 기름값 맞아요?"

🔵 "유류대금을 보내는 게 문제가 되나요? 홍콩의 유류회사 어디에 보낸 게 문제가 되나요? 홍콩 뷰티풀팰리스 유한공사 말씀인가요? 아님 벙커트레이딩홍콩 말씀이신가요?"

🔵 "거래처도 잘 아시네. 뭐가 됐든 기름값 맞냐구요?"

장태란 세무사는 홍콩 뷰티풀팰리스 유한공사와 벙커트레이딩홍콩이라는 유류회사에 대휴마린이 매월 말 유류대금을 결제하고 있는 것을 상업송장*과 통장이체내역을 보고 이미 잘 알고 있었기 때문에 해외결제자료를 관리하는 이운재 부장에게 확인을 요청했다.

* 수출자가 수입자에게 보내는 서류로서 계약 이행의 증빙서류이며 물품대금을 청구하는 증빙

> 장 "두 군데 모두 대휴마린 선박에 쓰이는 벙커유를 공급해 주는 회사가 맞아요. 그렇죠, 이운재 부장님."

이운재 부장은 이강재 대표이사의 동생으로 대휴마린이 2004년 창업할 당시부터 같이 일해 온 사람이다. 이강재 대표가 매출거래처(수출)를 영업한다면, 이운재 부장은 매입거래처(수입)를 맡아 관리해 오고 있다.

> 이 "네, 저희 회사에 벙커를 공급해 주는 회사가 맞습니다."

> 황 "그래요? 근데 그게 참 이상하죠. 작년에 홍콩 뷰티풀팰리스 유한공사가 대휴마린에 30억 원 투자했지요? 맞지요?"

대휴마린 주식회사가 한국증권거래소에 주식상장을 준비하면서 2009년에 뷰티풀팰리스 유한공사라는 홍콩회사로부터 30억 원을 출자받은 바 있다. 장태란은 갑자기 외국인투자가 들어와서 조금 의아했지만 상

장준비 중이며 해외에서 투자받는 것이 국내상장조건에 유리할 거라는 이강재 대표이사의 말을 듣고 외국인 투자에 관한 회계처리와 외국인투자로 인한 주식변동상황을 국세청에 신고해 주었다.

🟡 "홍콩 뷰티풀팰리스 유한공사가 저희 매입거래처이기도 하지만, 대휴마린이 앞으로 증권거래소에 주식상장을 할 예정이라 외국인 투자를 받은 것입니다. 그렇게 뷰티풀팰리스 유한공사와 대휴마린이 특수관계법인이 되었어도, 지난 연도의 과세자료를 보시면 비특수관계법인인 벙커트레이딩홍콩과 단위당 유류값이 차이가 없습니다. 부당행위, 아니 이전가격의 문제가 없습니다."

장태란은 황도엽 팀장이 대휴마린 주식회사와 홍콩에 있는 해외특수법인 간 거래의 정상가격(시가)을 문제삼는 것으로 생각되어 항변했다.

🟡 "장태란 세무사님? 그것 잘 모르시는가 본데? 뷰티풀팰리스 그거 기름 대주는 곳이 아니야. 내가 볼 때는."
🟡 "무슨 근거로 그렇게 이야기하시는 건가요? 그 말씀에 책임을 질 수 있나요?"

장태란은 얼굴이 붉어지며 따져 물었다.

🟡 "그렇게 말하는 장세무사님은 이거 범죄행위로 밝혀지면 책임을 지실 거예요? 막말하지 마세요. 우리가 이미 다 조사를 했어요. 뷰티풀팰리스 그거 가짜 회사야."

장태란은 사실 황도엽 팀장이 진짜 알고 하는 말인지 아니면 찔러보려고 하는 말인지 잘 모르겠다고 생각하고 있었다. 그러나 정작 기분이 매우 좋지 않은 것은 황도엽 팀장의 막말이 아니라 이상하게도 옆에 있는 이운재 부장이 아무런 항변도 하지 않고 있다는 것이었다.

🔵 "이운재 부장님! 부장님께서 매입거래처를 관리하시니 잘 아실 거 같아요? 말씀 좀 해 보세요."

🔵 "그거, 뷰티풀팰리스는 저희 회사에 기름을 납품하는 것이 맞습니다."

이운재 부장이 낮은 음조로 말을 이어가자, 황도엽 팀장은 큰소리를 낸다.

🔵 "이운재 부장님, 이강재 사장의 동생이죠. 이거 문제가 생기면 이 강재 사장만 문제가 되는게 아니에요. 이운재 부장님이 관여되었으며 공범이 되요. 그 기름값이 진짜인지 가짜인지는 조사과정에서 보면 다 알아요. 그런데 이강재 대표이사는 언제 옵니까?"

그래. 이 순간에 가장 먼저 와 있어야 할 사람이 이강재 대표인데, 어쩐 일인지 출근이 많이 늦는다.

🅰 "오윤정 과장님, 이강재 대표이사님과 통화는 해 보셨어요?"

🅾 "통화드렸습니다. 방금 거의 다 오셨다고 연락이 왔어요."

오과장의 말이 끝날 쯤 이강재 대표이사가 대휴마린의 사무실 문을 열고 허겁지겁 들어왔다. 말끔하게 차려 입었지만 어딘지 모르게 당황한 기색이 역력해 보이는 붉은 낯빛이 어색했다.

🅸 "안녕하세요. 국세청에서 오셨다구요. 그런데 다들 제 방에 앉아계시네요. 어떤 일로 오셨습니까?"

자신의 집무실로 들어가기 전 이강재 대표는 검은 양복들 사이를 뚫고 오면서 많은 생각을 하고 있었다. '무슨 말부터 해야 하나? 어떻게 해야 하는 거지?'

🅷 "저는 서울지방국세청 조사4국 조사4과 조사4계 팀장 황도엽이라고 합니다. 확인할 사항이 있어서 방문조사를 나왔습니다."

장태란에게 능글거리며 하는 말투와는 달리 매우 정중하게 이강재 대표에게 말문을 연다.

🅸 "저희 회사가 큰 기업도 아닌데 어쩐 일로 예고도 없이 이렇게 많은 분들이 오셨나요? 저희 식구들 다 해 봐야 20명인데 조사 나오신 분들이 30명은 되는 것 같습니다. 방문조사라면 오늘만 이렇게 오시는 건가요?"

이강재는 세무조사를 받은 경험이 전혀 없었고 난생 처음 받게 된 세무조사가 국세청 내 저승사자라고 불리는 서울지방국세청 조사4국의 영치세무조사였는데도 어리숙하게 황도엽 팀장의 방문조사라는 말에 하루만 고생하면 끝날 수도 있겠다는 어리석은 기대를 갖는다.

🔵황 "뭐 그건 회사의 매출액이 커서 꽤 사람들이 많을 줄 알았어요. 저희도 새벽부터 30명 태우고 올 차량을 대절하느라 고생 좀 했습니다."

🔵이 "이렇게 방문조사 나오시는 것을 미리 사전에 알려주셨으면 저희 쪽에서 차량을 준비했을텐데요. 그런데 저희가 무슨 큰 잘못을 했나요?"

🔵황 "저희는 그렇습니다. 여기 차인성 조사관이 오늘 새벽에 국세청에서 내려온 확인사항 자료 받았을 겁니다. 저는 세무조사 진행사항을 관리하는 것이고 실제 세무조사는 차인성 조사관 중심으로 이뤄질텐데요. 차 조사관, 이강재 대표께 준비하실 것을 얘기 좀 해줘요."

🔵차 "네, 팀장님. 대표님 저는 차인성 조사관이라고 합니다. 여기 세무조사 통지서 받으시기 바랍니다. 어떤 세금탈루 사실이 특정되기 전까지는 일반 정기세무조사라 생각하시고 협조해 주시기 바랍니다."

냉정하고 차분한 목소리. 한 장씩 한 장씩 세무조사 관련 서류를 꺼내는 모습이 예사롭지 않다.

🔵이 "네 성실히 협조하겠습니다. 그럼 제가 어떻게 협조할까요?"

🔵차 "아침에 오윤정 과장을 통해 회사 내 각종 자료를 박스에 담아두었습니다. 그리고 그 목록은 여기 종이에 정리해 두었습니다. 그리고 지금부터 여기 직원과 대표님 컴퓨터와 회사의 메일서버에 있는 전산파일을 백업(저장)해 가겠습니다. 자료 예치동의서에 사인하시면 시작하겠습니다."

국세청은 예전부터 영치세무조사라는 표현보다 예치세무조사라는 표현을 즐겨 사용했는데, 물건을 맡겨둔다는 의미의 예치나 피조사자의 자료를 임의동의로 국가기관이 맡아둔다는 영치는 사실상은 같은 의미이다. 그러나 국세청 세무조사는 검찰의 압수수색절차와 같이 강제조사가 아니기 때문에 납세자가 동의하는 경우에만 회사의 자료를 영치할 수 있었다. 영치세무조사는 국세청 입장에서는 과세자료 확보가 수월하기 때문에 지속적으로 확대시행되어 왔다.

그러한 폐단을 시정하고자 2017년 말 세법이 개정되어 영치세무조사의 사유를 특정했고, 이에 따르면 납세자가 불성실하다고 추정되는 증거가 있어야만 국세청은 영치세무조사를 실시할 수 있다.

그런데 이강재 대표는 이제 이 조사가 단순한 방문조사가 아닌 것을 파악하고 난생 처음 받아보는 예치조사에 어떻게 해야 할지 몰라 당황하고 있었다.

이 "장태란 세무사님, 예치동의서에 사인을 해줘야 되는 건가요?"

강재는 애절하게 태란을 바라보며 절실한 도움을 구하고 있었다. 그러나 장태란도 얘기만 듣던 서울지방국세청 조사4국의 예치조사를 처음 겪고 있는 터라 가슴이 답답했다.

장 "아니요. 잠시만 기다리세요. 압수수색하는 것은 영장이 있어야 하는 것이니까, 제가 아는 변호사님께 도움을 구해 볼께요."

사실 그렇다. 영치조사는 세법상 근거는 희박했다. 국세청 훈령으로 운영하고 있는 조사사무처리규정에서는 장부·서류 등의 일시보관은 조사목적에 필요한 최소한의 범위에서 실시하여야 한다고 규정하고 있었으나, 실제 세무조사 과정에서 예치조사의 적법성을 다투기가 쉽지 않았다. 그런데 현실적으로는 많은 기업들이 영치의 방법으로 세무조사를 받곤 했다. 조사의 편의성 때문이었으리라.

다만 검찰과 경찰의 압수수색과 같이 검사의 지휘 하에 법원이 발부한 압수수색영장을 가지고 나오는 것이 아니기 때문에 국세청 영치세무조사는 반드시 대표이사의 동의서를 받아 회사의 자료를 가져간다. 그리고 이러한 영치세무조사의 확장을 막기 위해 2017년 말 세법이 개정된 것이다.

> ⓗ "장태란 세무사님. 조사를 방해하시는 겁니까? 이렇게 협조 안하시면 혐의사항을 가지고 고발조치해서 검사의 압수수색영장을 받아옵니다. 그러면 힘들어져요. 세금 내고 끝날 것이 감옥도 갈 수 있단 말이에요!"

황도엽은 변호사에게 도움을 구해 시간을 벌고자 했던 장태란을 꾸짖듯 소리친다. 실제 세무조사에서 사건을 키우기 보다, 작게 마무리하기 위해 대부분 영치조사에 동의서를 쓴다. 어쩌면 잘 협조할테니 잘 봐달라는 얘기일 지도 모른다. 그러나 잘 봐주는 일은 그리 흔치 않다.

> ⓘ "죄송합니다. 팀장님. 제가 이런 게 처음이라서요. 제가 어디에 사인하면 되나요?"

이강재 대표는 장태란에게 황도엽이 소리치는 것을 보고 싶지 않았다. 차인성 조사관은 예치조사 동의서를 다시 내밀었고, 이강재는 거기에 사인을 했다.

> ⓙ "이강재 대표님, 잠시만 생각을 할 시간을 가지세요."

그러나 이강재는 아무 대꾸 없이 고개를 떨구고 예치조사 동의서에
사인을 한다.

그 순간, 검은 양복들은 일사분란하게 직원들의 각 책상 위에 놓인 컴
퓨터에 뭔가를 꽂고 자료들을 백업(저장)해 가고 있었다. 이것을 속칭 빨
아간다고 한다. 실제 이런 일을 당하는 민간인 입장에서는 피가 빨리는
느낌일 것이다.

차인성은 메일서버가 있는 보관회사에 이미 가 있던 직원에게 연락하
여 대표가 예치조사 동의서에 사인했으니 이메일 내역도 받아 오라고
지시한다.

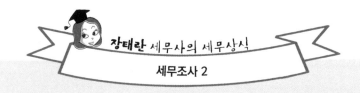

• 정기세무조사를 나올 때는 조사 개시 15일 전에 세무조사사전통지를 하는 것이나, 2017년 말 세법 개정 전까지는 증거인멸의 우려가 있다고 보아 사업장을 예고 없이 방문하는 이른바 영치조사 또는 예치조사가 흔했다.

  영치조사가 나오면 대표자의 동의 하에 회사의 자료 일체를 수거하고 회사 내 컴퓨터 파일 및 메일서버 파일을 다운로드해 과세관청으로 가져가 디지털 포렌식(digital forensic)* 방식으로 조사한다.

  * 전산으로 증거를 확보하는 방식을 디지털 포렌식 수사라 한다.

• 대기업은 통상 4~5년에 한 번씩 정기적으로 세무조사를 받고 특별한 사유가 없으면 예치조사를 하지 않는다. 자료용량도 상당히 많고 늘 받는 세무조사라는 인식 때문에 세무범죄에 노출되는 일도 별로 없다.

• 중소기업의 경우에는 4~5년에 한 번씩 실시하는 정기세무조사를 받는 일이 거의 없고,

  ① 탈루혐의가 있는 업종 전반에 대한 세무조사
  ② 탈세 제보가 들어온 경우
  ③ 의심 금융거래가 통보된 경우
  ④ 기타 각종 소명의뢰를 무시하거나 불성실하게 대처한 경우

  에 통상 수시조사를 받는 편이다. 이 수시세무조사를 영치세무조사 형식으로 받는 경우가 많다.

- 윤호중 더불어민주당 의원이 2016년 9월 29일 국세청에서 제출받은 최근 세무조사 현황자료에 따르면 지난해 매출 5천억 원 이상 대기업 상대 세무조사는 144건으로 2014년 대비 29.8% 감소했고, 대기업 세무조사에 따른 부과세액은 2조1533억 원으로 36.8% 줄었다고 한다.

- 반면 매출 5천억 원 미만의 중소·중견기업에 대한 세무조사는 3.7% 늘었고, 매출 500억 원 이상 5천억 원 미만 중견기업 세무조사는 1,064건으로 0.8% 늘어났으며 매출 500억 원 미만 중소기업 세무조사는 4,369건으로 4.5% 증가했다고 한다[4].

---

4) 국세청 세무조사, 대기업 줄고 중견중소기업 늘어, 2016. 9. 29 BUSINESS POST 김디모데 기자

흔한 나쁜 친구

이강재는 집무실에 앉아 몇 년 전 끊었던 담배를 다시 피우며 혼자 골몰하고 있었다.

장태란은 서울지방국세청 조사4국의 갑작스런 영치세무조사를 이해하지 못했으며, 영치물건을 다 싣고 떠날 때까지 종종거리는 오윤정 과장을 다독이다가 자신의 사무실로 돌아왔다.

저녁 무렵일까? 태란의 핸드폰으로 이강재 대표의 전화가 걸려 온다.

이 "장세무사님, 오늘 많이 놀라신 것 같은데…"

장 "네 대표님, 대표님이 너무 당황하시고 경황이 없어보여서 그게 더 걱정이었어요."

이 "장세무사님도 이런 경험 처음이시죠."

🅟 "네, 사실 그래요. 조사 개시 전 세무조사하겠다고 통지하는 정기 세무조사는 몇 번 받아보고 그때마다 회사에 들어가서 세무조사 조력도 해 드리고 그랬는데, 이렇게 사전예고 없이 영치세무조사를 받은 것은 얘기만 들었지 사실 처음이에요."

🅘 "저도 당황했는데 태란 씨가 더 당황해 하는 것 같아 그냥 조사관들이 빨리 나갔으면 하는 바람 때문에 제가 너무 급하게 사인을 했는데, 이제 생각해 보니 신중하게 생각하지 않고 회사서류를 다 넘긴 것이 아닌가 싶어요. 아무튼 하고 싶은 얘기가 있어요. 지금 사무실에 계시면 제가 갈까 싶은데요."

태란은 세무조사 얘기보다 이강재 대표가 자신에게 '태란 씨'라고 말한 것에 살짝 심쿵했다. 이 힘든 시기에 서로 의지가 되는 느낌이, 또 전부터 품어왔던 호감이 불거져 나온걸까?

🅟 "네, 사무실 앞에 오시면 전화주세요. 사무실 앞에 조용히 얘기할 수 있는 일본식 술집이 있어요. 거기서 만나시죠."

태란은 궁금했다. 이강재 대표는 뭔가 알고 있을 텐데. 혼자 사무실에서 평소에 피우지도 않던 담배를 피우면서 골몰한 이유가 분명히 있었을텐데… 태란이 상념에 잠긴 채로 이강재와 만나기로 한 이자카야(일본식 술집)에 먼저 들어가 앉았다.

얼마되지 않아 이강재 대표가 일본식 술집의 조그만 내실의 문을 열고 들어온다.

🅘 "세무사님, 여기 참 아늑하네요."

참 아늑하다는 멘트란. 이렇게 힘든 날에도 여전히 아름다운 태란과 조그만 내실에 같이 있는게 좋아서였는지 이강재 대표는 자신도 모르게 나온 말에 스스로 '오늘이 영치세무조사 나온 날이 맞지?'라고 혼자 생각한다.

장 "앉으세요, 대표님"

이 "우리 오늘 맛있는 거 먹을까요? 기분이 좀 나아지도록."

이강재는 오늘 같이 무거운 날에 이렇게 아름다운 태란 앞에서 어려운 얘기를 꺼내는 것이 쉽지 않아서였는지 에둘러 다른 얘기를 한다.

장 "아뇨, 오늘은 좀 더 냉정해 져야 할 것 같아요. 오늘 어떤 일로 서울청 조사4국에서 영치조사가 나온지는 사장님이 제일 잘 아실 것 같아요. 저도 그걸 알아야 제가 할 일이 뭔지 알 수 있을 것 같습니다. 여기 술집 사장님께는 오늘 술 마시러 온 거 아니고, 중요한 사람과 조용히 나눌 얘기가 있어서 왔다고 말씀드렸으니 술과 안주는 시키지 말고 숨김 없이 제게 얘기해 주실 수는 없으신지요?"

장태란 세무사. 세무사란 법률규정에 따라 세무대리를 하는 자일뿐이다. 본인이 세무조사 조력자로 쓰고(Use) 싶으면 쓰고, 말고 싶으면 마는

오늘 어떤 일로 조사가 나온 건지 사장님이 제일 잘 아실 것 같아요. 숨김 없이 얘기해주실 수 있죠?

것에 불과한데 왜 이리 앞서가는 지 모를 일이지만, 장태란 세무사는 마치 이 세무조사가 자신의 일인 양 불안해하고 있었고 그 숨겨진 진실을 알고 싶어 했다.

이 "그럼 태란 씨, 지금부터 제가 하는 말 오해없이 들어 주시기 바랍니다."

이강재는 미리 따라 놓은 조그마하고 따뜻한 녹차 잔 대신 옆에 있는 맥주컵을 가져와 냉수를 따라 한 잔 들이켜면서 얘기를 시작했다.

이 "저는 무역업을 하던 아버지를 보면서 자랐어요. 주로 외국 브랜드의 핸드백을 OEM 방식으로 만들어서 수출하시던 분이셨는데 무척 엄격하셨죠. 아버지는 제가 가업을 물려받길 바랐기에 미국으로 유학을 보내 외국의 비즈니스 방식이나 매너를 배우길 원했고 저도 그 뜻을 따라 아버지 사업을 이어받고자 했는데, 미국에서 대학을 졸업하고 한국에 돌아와 보니 아버지의 핸드백 사업이 줄곧 하향세였어요."

장태란은 오윤정 과장에게도 얼핏 이강재, 이운재 형제의 아버지 얘기를 들은 적이 있었다.

우리나라에서 외국 핸드백 OEM 산업을 초기 개척한 분들 중 1인이셨는데 이강재, 이운재 형제가 아버지와 함께 그 핸드백 사업을 하다가 주변 경쟁사업자들의 단가인하 경쟁에서 패배해 부도가 날 무렵, 이강재 대표는 따로 대휴마린 주식회사를 차려 빠르게 성장했고 아버지는 사업이 부도나서 일선에서 물러났고 이운재 부장이 형을 도와서 같이 해운사에서 일하게 되었다는.

장 "오과장에게 얼핏 들은 얘기가 있어요. 핸드백 사업 접으실 때쯤 대휴마린을 창업하시고 빠르게 성장하셨다고요."

이 "그러셨군요. 제가 창업할 전후로 제 곁에서 저를 도운 대학시절부터 친했던 친구가 한 사람 있었죠. 그 친구는 원래 해운사에 다니다가 퇴사하고 유류중개회사를 창업한 친구였는데, 그 친구 덕분에 제가 주변에서 자본을 끌어와 해운사업을 시작하게 된거죠."

장 "그런데 그게 이번 영치세무조사와 무슨 관계가 있나요?"

이 "네, 실은 제가 2004년도에 해운사를 창업하고 초창기에 이 산업에 대해 잘 몰랐을 때 그 친구에게 실제 해운업 경영에 관한 코치를 많이 받았어요. 그리고 그때부터 해운업황이 많이 호황이어서 누구라도 배만 있으면 떼돈을 버는 상황에 저도 돈을 조금 벌게 되었죠. 재작년인 2008년에 리먼 브러더스 사태가 터지고 지금까지 해운산업이 죽을 쑤고 있지만, 제가 2004년에 창업한 후 2008년까지는 하루하루가 돈 쌓이는 날이었던 거 같아요. 실은 아버지 밑에서 핸드백 CMT*(Cut, Make, Trim) 공장관리하다가, 사실상 아버지의 신용으로 해운사업에 뛰어들었고, 그 친구가 도와주었

친구 덕분에 해운사업을 시작하게 되었는데요, 그 친구가 회사를 하나 만들자는 제안을 했습니다.

으니 제 스스로만 이룬 대휴마린이 아니었죠."

* 임가공산업을 흔히 CMT라고 한다.

㉾ "그런 숨은 이야기가 있었군요."

태란은 매사에 당당해 보이는 이강재 대표가 저리도 힘없이 말하고 있는 모습이 정말 다른 사람처럼 보였다. 하지만 자신에게 스스로의 바닥 밑천까지 보여주고 있는 것 같은 이강재의 모습이 싫지는 않았다.

㉾ "그래서 제가 마음의 빚이 있었어요. 그 친구 녀석에게요. 다른 것으로 그 녀석에게 보답했어야 했는데 대휴마린의 영업이익이 많으니 자신이 홍콩인 명의로 홍콩에 개설한 유류중개법인에 선박벙커 유류대를 지불하는 것처럼 해서 한국의 법인세도 절감하고, 그렇게 홍콩 쪽으로 유보시킨 돈을 언젠가 둘이서 크게 다른 사업을 하는데 종잣돈으로 쓰자던 그 친구 말에 그만 큰 죄를 진것 같습니다."

㉾ "우리나라에 세금을 내지 않은 것이 죄는 아니예요. 다만, 부정한 행위로 세금을 탈루하면 죄가 되겠죠. 그래서 친구가 시키는 대로 만든 홍콩회사가 홍콩 뷰티풀팰리스인가요?"

㉾ "네, 맞습니다."

㉾ "그러니까 홍콩의 페이퍼컴퍼니를 이용한 전형적인 역외탈세방법에 해당하는 셈이네요."

이강재는 장태란이 홍콩의 페이퍼컴퍼니를 이용한 전형적인 역외탈세방법이라고 한 말에 가슴이 아려왔다. 자신이 호감을 가지고 있던 장태란이 자신을 범법자로 직설하는 것처럼 느껴졌다.

㉾ "태란 씨, 처음에는 꼭 그런 건 아니었어요. 홍콩 뷰티풀팰리스에

서 초창기 유류를 중개해 주던 것은 맞아요. 그런데 우리 회사가 커지니까 그 친구가 청구하는 금액도 실제와 다르게 점점 더 커져갔어요. 그 도가 넘는다는 판단이 설 무렵 2008년 중반부터는 이러면 안되지 싶었어요. 그래서 2008년 말 리먼 브러더스 사태가 터지고 힘들기도 해서 거래를 줄여왔고, 제가 작년에 이제 그만하자고 했습니다. 그러면서 2009년에 홍콩 뷰티풀팰리스 계좌에 있던 돈을 절반으로 나눠서 친구에게 주고, 나머지 절반은 회사로 해외주식투자형태로 들어왔던 겁니다."

장 "그럼 대휴마린에서 홍콩으로부터 투자받은 금액이 30억 원이니 그때까지 총 60억 원이나 되는 돈을 유류대로 속여서 국외로 반출하고 30억 원은 친구에게 주고, 30억 원은 회사로 들어왔다는 건가요?"

이 "네, 솔직히 그렇습니다. 아까 아무래도 이상해서 그 친구에게, 아니 작년에 그러고 나서부터는 연락도 안했는… 아무튼 그 친구는 홍콩 뷰티풀팰리스에서 손을 떼는 조건으로 30억 원을 주고 관계를 정리했는데, 그 녀석이 주로 홍콩에 거주하는데 한국쪽으로 돈을 들여왔나 봐요. 그 계좌에서도 문제가 생겼던 모양입니다."

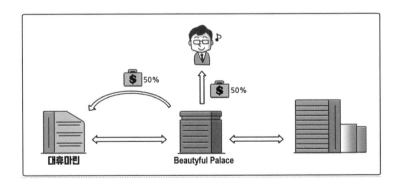

장 "그 친구라는 분도 국세청 세무조사를 받고 있나요?"

이 "오늘 그 친구 부모님 집으로 국세청에서 조사가 나왔다고 하더라구요. 우리처럼 회사로 와서 하는 게 아니니까, 그 친구 부모님을 찾아와서 아들의 홍콩과 한국자금거래내역서를 보여주면서 어디서 그 돈이 났는지 확인조사하고자 하니 아들에게 연락해 달라고 해서 급히 부모님이 자신에게 전화를 했고 자신도 많이 당황하고 있다고 하더라구요. 조만간 국세청에 들어갈 모양인 것 같더라구요."

장 'FIU구나.'

장태란 세무사의 세무상식

OEM, CMT

- OEM(Original Equipment Manufacturer)은 주문자의 의뢰에 따라 주문자의 브랜드를 부착하여 판매할 상품을 제작하는 방식을 말한다. 위탁생산이라고도 한다.

- 통상 주문자는 인지도가 높은 브랜드를 가진 유통업체이고, OEM 공장을 운영하는 업체는 생산 노하우를 보유한 제조업체이다.
이처럼 제작과 유통이 분리되는 이유는 브랜드를 가지고 있는 선진국이 자국의 높은 인건비 때문에 자국에서는 생산이 어려워, 인건비가 저렴한 개발도상국에 공장과 생산 노하우를 보유한 업체(OEM 업체)에 제품 생산을 의뢰하기 때문이다.

- 한국의 OEM 산업은 한국 내에 OEM 공장을 운영하던 내국인이 한국 내에서도 인건비가 상승하자, 중국 또는 동남아로 생산기지를 옮겨 OEM 산업을 영위하는 방식으로 변모했다.

  예를 들어 1980년대 나이키 신발을 한국에서 OEM 방식으로 생산했던 업체가 한국 내 인건비의 상승으로 더 이상 공장을 유지하기 어려운 지경에 이르자, 중국이나 동남아에 공장을 짓고 그 나라의 값싼 노동력을 기반으로 당초 거래하던 브랜드를 계속 위탁생산해 주고 있는 것이다.

- CMT란 Cut, Make, Trim의 약자인데 OEM 공장이 하는 생산행위를 말한다. 주문자는 높은 인지도의 브랜드만 가지고 있는 업체이고, 이 주문자가 자신이 제작할 상품의 디자인만 제공하면 한국 OEM 업체는 원자재와 부자재를 수급하여 중국이나 동남아 생산공장에 CMT를 의뢰한다.

- 일련의 거래과정을 보자면 주문자가 상품주문을 하면 한국 OEM 업체가 원부자재를 중국 등 공장에 수급하고, 중국 등 공장은 상품을 생산하여 주문자에게 발송한다. 그러면 주문자는 한국 OEM 업체에게 상품대가를 결제하고, 한국 OEM 업체는 중국 등 공장에 CMT 대가(공임)를 지급하는 방식이다.

금융정보분석원(FIU)

😊 "제가 추측해 보기로는 그 친구의 의심거래정보에 대해 국세청이 인지했나 보네요."

😊 "의심거래정보가 뭔가요?"

😊 "누구나 돈을 벌면 그 돈을 쓰거나, 어디에 숨겨두거나, 땅에 묻지 않는 한 어떤 형태로든 은행으로 흘러들어 가게 되죠. 보통은 자신의 통장에 예치하지만, 자신의 실제소득이 밝혀지는 것을 꺼리는 사람들은 가족이나 지인의 이름을 빌려 은행에 예치하기도 하구요. 그러다보면 은행에는 이상한 돈들이 포착되고 이를 FIU라 해요. 정식명칭은 금융정보분석원이라는 곳에 보고해서 출처를 조사하는 거예요. 그리고 조사포탈혐의와 연동되면 금융정보분석원이 국세청에 자료를 통보해요."

특정금융거래정보의 보고 및 이용에 관한 법률에 따르면 금융기관은 일정금액 이상의 돈이 입출금 및 송금될 때 이를 금융정보분석원(FIU, Financial Intelligence Unit)에 보고해야 한다. 현재 금융기관은 금융거래 중 의심되는 거래(STR, Suspicious Transaction Report) 전부와 하루 동안 2천만 원 이상의 현금이 입출금되는 고액 현금거래(CTR, Currency Transaction Report)를 의무적으로 FIU에 보고해야 한다[5].

이처럼 FIU에 수집된 의심금융거래 내역을 검찰과 경찰, 국세청에서 받아 형사처벌과 세금을 추징하는 데 사용하고 있다. 그렇기 때문에 세금을 내지 않은 자금의 세탁이 사실상 어렵게 되었다.

2015년을 기준으로 지난 5년간 FIU가 국세청과 검찰 등에 넘긴 의심금융거래 정보는 12만 건에 이른다. 그리고 국세청에서는 2014년을 기준으로 지난 5년간 1조 2천억 원의 세금을 추징했다.

이 "결국 그 친구가 가져간 30억 원이 한국에 흘러들어왔고, 이게 단초가 되어서 홍콩의 뷰티풀팰리스의 실체가 국세청에 노출된 거로군요."

장 "그것도 그거지만, 2009년에 홍콩으로부터 들여온 주식투자자금 30억 원이 서울청 조사4국 조사를 불러들인 유인일 것도 같아요. 그러면서 홍콩 뷰티풀팰리스를 조사하는 과정에서 친구가 연루된 계좌도 알게 되었을 것이고, 그 친구와 연계된 계좌를 FIU에서 제공했을 수도 있구요. 하지만 세무조사를 불러들인 제일 중요한 이유는 하지 말아야 할 일을 했다는 거예요."

이 "태란 씨 얼굴을 제대로 볼 수가 없어요. 죄송합니다."

---

5) 절세테크 100문 100답 p.189 인용, 장보원

㉛ "제게 죄송할 일이 있나요? 저와는 아무 관계도 없는 일인데요. 그
   럼 이제 어쩌실 건가요?"

태란도 이런 어처구니 없는 일을 몰래 벌인 이강재에게 화가 나서였
을까 말투가 무척 냉정하다.

㉜ "일단 유명한 법무법인에 조력을 요청해 보려고 합니다. 장태란 세
   무사님을 세무조사조력을 시키면서 괴롭히고 싶지는 않아요. 단
   지 앞으로 제가 일을 수습하면서 상의할 수 있는 파트너가 되어
   주셨으면 합니다."

유명한 법무법인, 장태란의 감정은 복잡미묘했다. 세무전문가로서 역
외탈세사건에 조력자로 일을 해보고 싶은데 일을 주지 않는다. 그런데
이강재 대표가 일을 맡기지 않는 이유가 이 일 때문에 상심하지 말라는
뜻일까? 아니면 자신이 유명하지 않다는 얘기일까? 아니면 그 유명하다
는 것이 브로커(협상)를 하고 싶다는 의미일까.

㉛ "진심으로 저를 괴롭히고 싶지 않은 마음이시면 제게 세무조사조
   력을 맡겨 주세요. 다만 저도 영치조사가 처음이니까 법무법인과
   함께 공동으로 조력하도록 해 주세요."

장태란은 끝까지 가보고 싶었다. 이강재의 진심이 뭔지를 알고 싶
었다.

㉜ "태란 씨 생각이 그러시다면 그렇게 하시죠."

대휴마린 주식회사는 며칠 뒤 꽤 유능하고 명망 있다는 법무법인과
세무조사조력계약을 맺었다. 그 법무법인에서 일하면서 서울청 조사4국
의 황도엽 팀장과 대학 동기였다는 세무사가 대휴마린으로 찾아왔다.

이강재는 장태란을 불러 같이 향후 대책에 대해 논의하고자 했다.

🅗 "안녕하세요, 대표님. 그리고 자문세무사님. 저는 황도엽과 대학을 같이 다닌 허대균 세무사입니다. 제가 국세청에서 나온지 얼마 안 됐고 대학 때부터 줄곧 황도엽과 친분이 있었으니, 이번 조사조력으로 저희 법인을 선택한 것은 정말 잘하신 겁니다. 하하."

이 사람도 얼마 전에는 국세청에서 세무조사를 하면서 민간회사 대표에게 치밀하고 냉정한 사람이었을텐데. 이제 옷 벗은 지 얼마 안되었을텐데 십수 년을 세무대리한 사람보다 더 능글맞다.

🅘 "네, 국세청 근무경험을 살려서 저희 회사를 많이 도와주십시오. 그리고 제 옆에 있는 이분도 세무사이시고 저희 회사 사정을 제일 잘 아시니, 같이 조력자로 참여해서 일을 잘 봐주세요. 서로 인사 나누세요."

이강재 대표는 허대균 세무사와 장태란 세무사를 소개하면서, 그렇게 세무조사대응의 첫 걸음을 시작했다.

영치조사 혹은 예치조사는 사실상 회사 내의 모든 자료를 가져가서

조사하기 때문에 일반 정기세무조사보다는 문서작업(Paper Work)으로 쟁점 조사사항에 대하여 항변하는 일들이 많지 않다.

상당 부분 조세범칙, 즉 범죄사건과 연결되어 세무조사를 나오다 보니 매출누락, 가공경비, 역외탈세, 부당행위와 같이 직접적 조세포탈 내지는 조세회피가 세무조사의 초점이다. 그래서 세무조사조력이라는 것은 이미 노출된 조사 쟁점의 총량을 줄이는데 초점이 맞춰져 있다.

반면 일반정기세무조사는 세법의 해석, 집행과 관련한 다양한 견해가 대립되는 상황에서 세금을 내는 것이 옳은지 그른지를 다투는 경우가 많다. 장태란은 그런 점에서 세법의 해석과 집행에 관해서는 꽤 숙달된 세무전문가였지만, 이미 노출된 조사 쟁점의 총량을 줄이는데는 아직 서툴다고 볼 수 있었다. 그러나 서툴기는 허대균도 마찬가지였으리라.

㉠ "장태란 세무사님. 이름도 얼굴처럼 미인이시네요. 앞으로 잘 해 봅시다."

허대균 세무사는 한참을 현직 시절 세무조사 경험담을 늘어놓고는 이번 주 중 황도엽과 단판을 내겠다고 호기를 부리고는 사무실을 나갔다.

영치 이후 아무 일도 없이 잠잠했던 일주일이 지나고, 장태란에게 서울청 조사4국 조사담당인 차인성 조사관으로부터 한통의 전화가 걸려왔다.

㉠ "장태란 세무사님, 저 일전에 인사드린 차인성 조사관입니다."

㉡ "네, 알고 있습니다."

㉠ "어제 허대균 세무사라는 분이 세무조사조력 신청서를 가지고 저희 사무실로 오셔서 이것 저것 물으셨는데 오히려 제가 조사확인할 사항이 있습니다. 그런

데 그분이 실무는 장태란 세무사님께서 전담하실 거라고 해서 연락드렸습니다."

🔵장 "네, 그러시지요."

그랬다. 어차피 허대균은 사건의 본질을 탐구하고 답을 내려고 하기보다는 어느 정도 선에서 사건을 마무리하는데 포커스를 맞춰 조사대응을 하고 있었다.

🔵차 "세무사님, 전화가 된 김에 전화로 말씀드릴께요. 저희가 보니까 이강재 사장님께서 홍콩의 뷰티풀팰리스라는 유류매입처의 실질적인 사장님 같은데, 뷰티풀팰리스 홍콩계좌사본이 필요합니다. 받을 수 있을까요?"

🔵장 "네? 그건 저희 회사자료가 아니니 제가 드릴 수는 없지만, 이강재 대표에게 확인해서 연락을 드리지요."

🔵차 "네, 준비되시면 연락주세요. 아마 받으실 수 있을 겁니다."

🔵장 '홍콩계좌사본?'

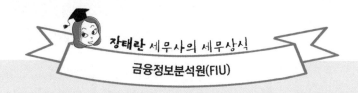

금융정보분석원(FIU)

• 금융정보분석원은 2001년에 출범하여 금융기관으로부터 마약, 밀수, 사기 등 범죄와 연결된 자금세탁, 불법 해외도피자금 등과 관련된 금융정보를 제공받아 이를 분석하여 과세관청이나 수사기관에 제공해 왔다.

• 그리고 2013년 11월 14일부터 국세청은 자금세탁 의혹이 짙은 의심거래정보 확인과 조세 체납자에 대한 징수 업무에 금융정보분석원(FIU) 정보를 사용할 수 있게 되었다.

• 그간 금융정보분석원이 국세청에 제공하는 자료의 범위가 지극히 제한적이어서 큰 실효를 보지 못하다가 2013년 개정된 FIU법 시행으로 국세청은 탈루 혐의가 있거나 체납 사실이 있는 경우에 의심거래정보와 2천만 원 이상의 고액현금거래 정보를 모두 이용할 수 있게 된 것이다.

• 이에 2015년을 기준으로 지난 5년간 FIU가 국세청과 검찰 등에 넘긴 의심금융거래 정보는 12만 건에 이르며, 이는 세무조사 역량강화로 이어져 국세청에서는 2014년을 기준으로 지난 5년간 1조 2천억 원의 세금을 추징했고 앞으로도 더욱 강화될 전망이다.

역·탈

제 **11** 화

해외비밀계좌

장 '홍콩계좌사본?'

　재산 은닉과 조세 회피를 위하여 일부 부유층들이 해외 계좌를 만든 곳이 처음에는 스위스 은행이었다.

　그러나 스위스 최대은행인 UBS가 2008년 미국 국세청(IRS)에 탈세 혐의가 있는 미국 고객들의 계좌정보를 제공한 바 있다.

　그리고 스위스 당국은 2009년에 G20이 조세회피처 등 금융정보 기피 국가에 강력한 제재를 하겠다는 엄포에 백기투항하여 미국과 캐나다 등과 금융정보협정을 맺었으며, 2014년에는 한국을 포함한 수십 개 국이 체결한 다자간 금융정보자동교환협정에 참여하고 있다.

협정에 따르면 한국과 스위스는 2018년부터 상대국 거주자의 금융정보 자료를 자동으로 교환하기로 했다. 2018년이 되면 어떠한 일들이 벌어질까?

그런데 이즈음 스위스 UBS은행과 미국 국세청(IRS)과의 싸움을 보면서 많은 부유층들이 새롭게 계좌를 옮겨간 곳이 홍콩과 싱가포르로 추정되고 있다. 각 나라 세무당국과 소득과 재산을 숨기려고 하는 개인의 끊임없는 해외비밀계좌 싸움은 다자간 금융정보자동교환협정으로 세무당국의 승리가 점쳐지고 있다.

참고로 홍콩도 다자간 금융정보자동교환협정에 참여할 예정이며, 2017년 초 한국과 양자 간 금융정보자동교환협정을 맺었다. 협정발효는 2019년부터이다. 그리고 싱가포르는 2016년에 한국과 양자간 금융정보자동교환협정을 맺은 바 2018년부터 계좌정보를 제공하고, 2019년부터는 계좌거래내역을 자동교환할 예정이다.

장태란은 2010년에 그 홍콩계좌사본이라는 것을 서울지방국세청 조사4국으로부터 요청받은 것이다.

🔵이 "홍콩계좌사본?"

🔵장 "네, 홍콩계좌사본이요. 홍콩의 뷰티풀팰리스 홍콩계좌사본을 달라고 요청합니다."

장태란은 직접 이강재 대표의 집무실에 방문해서 차인성 조사관이 요청한 자료에 대해 얘기했다.

🔵이 "네, 협조해야죠. 그런데 홍콩에 한번 다녀와야겠는데요. 홍콩이라는 곳도 보실 겸 같이 가실래요?"

태란은 이강재 대표의 이런 제안에 조금 당황했다.

장 "네? 왜요? 둘이요?"

이 "제가 알고 있기로는 홍콩은 계좌열람하고 사본을 받는대도 한국
과는 달리 꽤 시간이 오래 걸리는데, 같이 가서 홍콩금융내역
도 확인해 보시는 것이 경험이 될 것 같아서요."

태란과 강재 둘만의 홍콩여행? 태란은 잠시 몸과 마음이 떨렸다.

장 "그럼 그러시죠. 괜찮은 경험이 될 것 같아요. 그런데 언제쯤 출국
하실 건가요?"

이 "어차피 국세청을 속이고 싶은 마음이 없으니 빨리 다녀오시죠."

장 "그러시죠."

강재는 자신이 해외출장 갈 때 늘 거래하는 여행사에 바로 다음 날
아침 홍콩으로 가는 비행기 좌석 2개와 호텔 예약까지 해 달라고 전화를
해 둔다.

다음 날 장태란과 이강재는 홍콩행 비행기에 몸을 실었다. 비즈니스
좌석에 나란히 앉아 신문을 보고 있는 이강재의 모습을 옆에서 보면서

태란은 영치세무조사 당일의 이강재 대표의 당황스러움은 온데간데 없고 편안해 보였다. 그리고 태란도 정신 사나운 모든 상념을 버리고 강재와의 첫 여행에 흥분만 기억하기로 했다. 지금 이 순간만큼은.

한두 시간쯤 흘렀을까? 홍콩국제공항에 도착했다. 출국장을 나서자, 홍콩국제공항은 코즈모폴리턴(Cosmopolitan)*들로 북적인다.

* 특정 국가의 이념이나 제도에 대한 편견이 없는 세계주의자

거주자와 비거주자로 구분하여 과세소득을 판별하는데 익숙한 대한민국과는 달리, 역외소득*(Off-Shore income)에 대하여는 원칙적으로 세금을 과세하지 않는 이곳 홍콩은 무역업의 천국이며 외환거래에 규제가 없어 금융업의 천국이다 보니 이러한 업종에 종사하는 전 세계 사람들이 홍콩국제공항에 북적이는 것은 너무나 당연한 일일 것이다.

* 자국 영토가 아닌 국외에서 벌어들인 소득

이강재 대표는 자신이 코즈모폴리턴이라는 것을 말하고 싶었던 것이었는지 홍콩 시내에 코즈모폴리턴 호텔에 체크인을 하고, 쉴 틈도 없이 장태란에게 홍콩 구룡(Kowloon)에 있는 홍콩 HSBC 은행에 다녀오자고 했다.

이강재와 장태란은 조그만 택시(적사)를 타고 좁디 좁은 홍콩 시내도로를 거쳐 홍콩 HSBC 은행으로 갔다.

홍콩에서 택시는 적사的士라고 하는데 빨간색으로 칠한 택시이다보니 붉은 택시처럼 느껴지기도 한다.

좁은 빌딩으로 들어가 좁은 엘리베이터를 타고 9층에 있는 홍콩 HSBC 은행의 고객응대창구로 올라갔다. 늘 그렇겠지만 사람들로 북적인다.

그 시절 홍콩에서 벌어지는 역외탈세를 조사하려는 전 세계 세무공무원들이 은행 손님으로 가장하여 잠행하고 있었는데도, 그런 걸 모르는 사람들은 마치 조세천국(Tax haven)에 온 양 자신들의 은밀한 거래방식을 큰 소리로 떠들어대곤 했다.

이강재가 홍콩 뷰티풀팰리스 유한공사의 홍콩계좌사본을 신청하고 있는 사이에도, 장태란은 '한국의 상속증여세를 탈루하기 위하여 부모님의 고액현금을 해외주식투자 명목으로 홍콩에 송금했고, 홍콩 회사가 손실을 봐서 폐업하는 방식으로 서류처리를 하고서는 자신의 다른 홍콩 계좌로 이체된 현금을 찾아서 나가는 중'이라며 한 젊은 여성이 같이 온 남성에게 자랑삼아 떠드는 얘기를 귀동냥으로 듣고 있었다.

장 '신기한 세상이군. 우리나라 세무공무원이 듣고 있다면 속으로 다 죽었어 이러겠는걸…'

장태란은 지금 생각해 보면 은행 창구 고객대기실에서 신문을 보면서 각종 역외탈세수법을 청취하고 있던 세무공무원들의 마음은 어떠했을까 싶기도 하다.

이 "태란 씨, 신청은 다 했구요. 서류는 이틀 뒤에 나오는데 특송으로 저희 회사로 갈겁니다. 내일 저녁쯤 귀국하려고 하니 오늘 저녁은 맛있는 거 먹으면서 좀 쉬는 게 어떨까요?"

장 "세무조사를 생각하니 마음이 편치 않은데 뭘 먹으면 맛이 있을까요? 하지만 홍콩 HSBC 은행 방문기념으로 이 인근에서 맥주 한 잔해요. 속이 뻥 뚫리는 시원한 것으로요."

이 "그래요. 마침 여기서 멀지 않은 곳에 맥주거리가 있어요. 가서 한 잔 하시죠."

이강재와 장태란은 홍콩 인터컨티넨털 호텔 인근 공원으로 자리를 옮겼다. 세계 맥주를 파는 조그만 호프집들이 다닥다닥 붙어 있었고, 이곳에는 아직 밤은 아니지만 세계 맥주를 마시며 수많은 언어로 떠드는 사람들로 북적인다. 그 중 한자리에 강재와 태란이 앉았다.

장 "홍콩 은행은 원래 계좌사본 신청하면 며칠씩 걸리나요? 한국은 계좌도 인터넷으로 볼 수도 있고, 사본 신청하면 바로바로 나오는데 금융이 발달한 홍콩은 오히려 신기하네요."

"그러게요. 그런데 제 친구는 볼 수 있었을 거예요. 인터넷 뱅킹 신청하면 우리나라 OTP(One Time Password) 기기 같은 걸 주거든요. 그 친구가 가지고 있을 거예요. 저는 그 친구와 같이 직접 은행거래를 할 수 있는 자로 등록되어 있어서 직접 창구로 온 거예요. 여기는 사본을 늦게 주는 것도 그렇지만 모든 은행업무에 고액의 수수료를 요구해요. 사실 돈 주면서 계좌사본 신청도 하고 또 계좌도 클로즈(폐쇄)했습니다. 이게 홍콩 뷰티풀팰리스 유한공사의 마지막 비즈니스가 되었네요."

강재와 태란은 회사 얘기, 세무조사 얘기, 대학 얘기, 다른 사람 얘기 등등 많은 대화를 나눴고 한결 가까워진 느낌이었다. 강재와 태란은 잠시나마 서로 즐거운 시간을 함께 보내고 있는 것이 좋았다. 그리고 이내 밤이 찾아왔다.

시원한 맥주와 멀지 않은 부두에서 불어오는 바닷바람에 취기가 올랐지만, 장태란은 '일하러 왔다'고 속으로 생각하면서 이강재가 폭풍처럼 맥주를 들이켜고 있을 때 눈치만 보면서 술을 들었다놨다 하고 있었다.

그런데 태란은 강재가 홍콩 코즈모폴리턴 호텔에 혼자 체크인한 것이 못내 마음에 걸렸다.

'혹시 방을 하나만 잡았나?'
"이제 호텔로 가시죠. 좀 쉬셔야죠. 내일 출국하려면요."

태란은 강재의 얘기에 '뭐지?' 하면서도 강재의 뒤를 따라간다.

그 따라가는 길에 내심 살짝 기대감도 생기고 붉은 택시가 서 있는 정류장에 왔을 무렵, 장태란이 적사的士를 잡으려고 하는 순간 왠일인 지강재는 그 코너를 돌아 출입문도 화려한 홍콩 인터컨티넨털 호텔 안으로 들어간다.

장 '여긴 어디지?'

이 "태란 씨, 홍콩의 인터컨티넨털 호텔의 야경이 참 좋다고 해서 태란 씨 숙소를 여기로 예약했어요. 제 숙소랑은 빅토리아 항구를 보면서 마주하고 있네요. 걸어갈 수 있는 거리는 아니지만. 그럼 편히 주무시고 늦게 체크아웃하세요. 그리고 연락주시면 제가 바로 모시러 와서 맛있는 브런치를 대접하겠습니다."

태란은 1천 미터 달리기를 마치고 들어온 사람처럼 한껏 심장이 뛰었다가 정상적인 맥박으로 돌아온 사람처럼 맥이 빠져 호텔에서 체크인을 하고 있는 사이, 이강재는 손을 한번 더 흔들고는 사라져 버렸다.

인터컨티넨탈 스위트룸에 들어온 장태란은 아침부터 서둔 홍콩출장의 피곤함도 풀 겸 간단히 샤워를 마쳤다.

그러고 나니 아까 못 마신 술이 고프기도 해서 호텔을 빠져나왔다.

'어디 가서 한잔할까? 강재 씨는 벌써 들어가서 자고 있을까?' 이런 저

런 생각이 들었다.

태란 앞으로 붉은 택시 한 대가 선다. 장태란은 마치 적사를 기다리기나 한 사람처럼 올라타고는 "코즈모폴리턴 호텔 프리즈"를 외쳤다.

멀지 않은 곳에 있는 코즈모폴리턴 호텔 앞으로 택시가 멈췄고, 태란은 이강재가 자고 있을 호텔 앞에 내려 건물을 올려다 보았다.

그런데 갑자기 이강재가 나타났다.

이 "태란 씨, 웬일이세요?"

장 "어? 강재 씨는 웬일이세요. 손에 든 봉지는 뭔가요?"

이 "태란 씨한테 술 취한 모습 안 보이려고 적당히 마셨지만, 오늘은 도무지 잠이 올 것 같지가 않아서 바닷가 보면서 술 한 잔 더하려구요."

장 "그렇군요. 저도 아까 술을 제대로 마시지 못한 것 같아서 술집을 찾다가 도무지 엄두가 안나서 강재 씨 있는 곳으로 온 거예요."

이 "하하, 그럼 같이 홍콩의 바다 야경을 보면서 길맥하실래요?"

강재와 태란은 시원한 홍콩의 바닷바람을 맞으며 원없이 맥주를 마셨다. 그런데 이강재는 낮부터 마신 술에 많이 취한 듯 했고, 태란은 그런 이강재의 모습을 보면서 '마음 고생에 얼마나 힘들까' 하며 연민의 정을 느끼고 있었다.

그러다 갑자기 이강재가 태란의 얼굴을 뚫어지게 쳐다보다가 다시 바다를 보며 넋두리를 했다.

이 "태란 씨, 얼굴도 예쁘고 실력도 좋은 태란 씨. 처음 뵙고 호감을 가졌고 같이 일하면서 좋은 인연으로 발전하길 바랐는데 이렇게 영치세무조사나 받고. 저 참 못났죠?"

ⓒ "아니예요. 흔한 나쁜 친구의 꼬임에 빠졌던 거라고 생각하세요. 다 사람의 결대로 마무리지어질 거예요. 힘내세요. 강재 씨."

ⓘ "태란 씨, 지금 제가 믿을 사람은 태란 씨뿐이에요."

강재는 태란의 어깨에 얼굴을 기댔다. 태란은 그런 강재의 모습이 싫지 않았다. 그리고 5분쯤 되었을까? 문득 태란은 정신 차려야지 하면서 강재를 일으킨다.

ⓒ "강재씨, 이제 일어나세요. 내일 또 귀국해서…"

갑자기 강재가 태란의 볼에 입을 맞췄다. 태란은 갑작스런 강재의 스킨십에 적잖이 놀라 강재를 쳐다보았다. 강재는 무슨 용기가 났는지 태란의 입술에 키스를 했다. 그리고 태란은 강재를 안으며 더 진한 키스를 이어갔다.

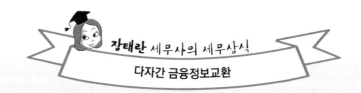

우리나라는 2014년 10월 23일 독일 베를린에서 개최된 다자간 조세정보자동교환협정에 서명했다. 이 협정에 따라 우리나라와 독일, 영국, 프랑스 등 53개국은 2017년 9월부터 매년 1회 해외에 개설된 거주자의 계좌정보를 상호간 자동 교환하게 되었다.

2018년 9월부터는 일본 등 77개국 이상으로 확대될 예정이다. 이 협정으로 영국, 아일랜드, 네덜란드, 영국령 버진아일랜드 등 미국 외 국가와 광범위하게 조세정보자동교환이 가능해져 국세청의 역외탈세 추적에 크게 기여할 예정이다.

역·탈

제 **12** 화

두 가지의 선택

이강재와 장태란은 홍콩여행을 통해 잠시 영치조사의 괴로움을 잊고 있었지만, 귀국하는 길부터 내내 다시금 힘든 시간을 보내고 있었다. 그리고 그들이 귀국하고 얼마 되지 않아 홍콩 HSBC 은행으로부터 홍콩 뷰티풀팰리스 유한공사의 계좌사본이 배송되었다.

계좌사본을 입수한 이강재는 장태란 세무사와 허대균 세무사를 같이 불러서 홍콩계좌사본을 오픈했다.

이 "저도 홍콩계좌사본을 보는 건 처음인데 어떠세요? 무슨 문제가 있을까요?"

이강재와 장태란은 영문으로 쓰여진 홍콩계좌사본을 스캔하듯 보고 있었고, 오히려 허대균은 영문해석을 한창 하고 있는 것인지 고개만 갸 우뚱하고 있었다. 잠깐의 침묵을 깬 것은 장태란이었다.

> 장 "잠시만요? 그런데 왜 홍콩 HSBC 계좌사본에는 입출금 내역에 아무런 레퍼런스(참조)가 없죠?"

장태란은 홍콩 HSBC 계좌사본에 입출금액만 있고, 어디서 입출금 되었는지가 전혀 쓰여져 있지 않은 점에 주목했다.

> 허 "그런데 레퍼런스가 뭡니까?"

> 장 "주석 같은 거요. 우리나라 계좌를 보면 입출금 내역과 상대방 내역이 다 나오는데, 여기는 돈이 나갔다 들어왔다한 금액만 나와 있잖아요."

> 허 "아, 진짜 그렇네. 어디서 왔다가 어떻게 나갔는지를 도통 알 길이 없네."

> 이 "장태란 세무사님은 홍콩계좌를 처음 보시는 것 같고, 허대균 세무사님도 이런 계좌 잘 모르세요?"

> 허 "아, 제가 조사 때는 뭐 본 것 같기도 하고, 그런데 직접 자세히 보는 건 처음이고, 암튼 계좌를 가지고 제가 들어가 볼께요. 황도엽 팀장하고는 몇 번 통화했거든요. 빨리 종결하자고요."

사본 2부를 떠 놓고 원본을 들고 허대균 세무사가 나갔다. 그리고 장태란은 한참을 계좌사본을 쳐다보고 있었다.

> 장 "이강재 대표님, 홍콩 뷰티풀팰리스에 유류대금 명목으로 수년 간 돈을 보내셨다고 하셨죠? 그거 유류대금 INVOICE* 다 있나요?"
> * 대금청구서

> 이 "네 그럴 겁니다. 실제 선박에 쓰는 벙커유가 100이면 20% 정도

할증해서 청구한 INVOICE가 있을 거예요. 다만, 메일서버를 가져갔으니 그 내용도 이미 어느 정도 국세청에서 파악하고 있지 않을까 싶습니다."

(장) "홍콩계좌사본만 봐서는 유류대금으로 입출금된 것인지, 아니면 그냥 개인적으로 입출금했는지 알 길이 없네요. 사본 자체에 레퍼런스는 없으니까요. 다만 이런 거래의 실제와 허위의 내역을 이메일로 주고 받았다면 이미 디지털 포렌식에 의해서 증거가 잡혀 있겠군요. 영치조사가 이래서 무서운 것 같아요."

(이) "이미 이런 내용은 국세청이 다 알고 있다고 가정하는 것이 마음이 편할 것 같습니다. 결론적으로도 제 친구가 30억 원 가지고, 저희 회사 주식대금으로 들여온 것이 30억 원이니 그렇게 부풀린 유류대금이 몇 년간 총 60억 원 정도 될 것입니다. 통장을 봐서는 잘 모르겠지만요."

(장) "그럼 대흥마린 주식회사가 2004년 창업부터 2010년, 아니 작년에 뷰티풀팰리스가 거의 정리되었다고 하셨으니 2009년까지 6년여 간 평균적으로 10억 원씩 유류매입금액을 부풀려 가공경비로 계상하고 법인세를 탈루하셨네요."

계좌와 인보이스를 정리하면 몇 년간 부풀린 유류대금이 총 60억 원 정도 될 겁니다.

🔵 "네, 평균적으로는 그렇게 된 것 같습니다만, 실제는 2006년부터 2008년에 집중되었을 겁니다. 그런데 세금은 얼마나 나올까요?"

🟢 "1년에 20억 원씩 가공경비를 만들어 세금을 탈세했다고 가정할게요. 일단 본세가 1년에 4억 원(법인의 추가소득의 20%) 정도 되네요. 그럼 본세는 3년 누계 12억 원, 거기에 부당하게 과소신고한 가산세만 연간 40%(2017년부터는 60%)이니 연 1.6억 원의 3년 누계 약 5억 원, 게다가 매년간 납부하지 않은 가산세가 연리 10% 정도 돼요. 그러니 그 납부불성실가산세가 약 1억 원이라고 치면 세금이 18억 원이군요. 이 건 반드시 내셔야 할 세금이에요. 원래 성실히 신고해서 12억 원 더 내면 될 일인데 6억 원은 가산세로 국가에 공돈을 내시는군요."

🔵 "그게 끝인가요? 18억 원은 내야죠."

🟢 "아뇨. 그런데 이게 끝이 아니에요. 아마도 친구분이 가져간 30억 원과 대휴마린 주식회사가 주식투자형태로 들여온 돈 30억 원의 성격이 어떻게 되느냐에 따라서 세금이 많아 달라질 것 같아요. 이번 세무조사의 핵심은 그거예요."

🔵 "그럼, 어떻게 하면 세금이 적어지나요?"

🟢 "친구분이 가져간 30억 원에 대한 소득세 문제에 대해서는 사실관계에 따라 그분이 해외에서 취한 사업소득일 수도 있는데, 그분이 우리나라 세법에 의해 한국 거주자인지? 아니면 홍콩 거주자인지에 따라 달라질 수 있어요. 이 부분이 중요하겠죠. 우리나라에서 과세권이 없느냐 있느냐가 핵심이고, 우리나라에 과세권이 있어도 그 소득이 어떻게 구분되느냐에 따라 세금이 달라져요."

🔵 "이것은 또 다른 이슈군요."

🟢 "그리고 대휴마린 주식회사가 홍콩에서 외국인투자로 들여온 30억

원, 이것은 홍콩 뷰티풀팰리스가 대휴마린에 투자할 당시 그 회사의 소유권이 이강재 대표님이라고 가정한다면 국세청은 실질적으로 이강재 대표의 개인 자산이나 소득이 늘었느냐의 여부에 따라 개인세금을 추징하거나 할 거예요."

장태란이 하고 싶은 이야기를 요약하자면 대휴마린 주식회사가 선박 유류대금을 부풀려서 법인세를 탈루했지만, 그 부풀린 돈을 거주자가 취했느냐 비거주자가 취했느냐? 실지로 취했느냐 실지로 취하지 않았느냐?에 따라 개인소득세는 완전히 달라진다는 얘기를 하고 있는 것이었다.

- 이 "최악의 상황은 뭔가요?"
- 장 "국세청이 3년간 유류대금으로 부풀린 60억 원을 이강재 대표가 다 취했다고 보아 종합소득세율 최고세율 40%를 곱한 금액인 24억 원을 추징하는 것이 가장 최악의 케이스죠."
- 이 "그럼 최악은 법인세 18억 원에 개인소득세 24억 원, 총 42억 원이나 세금을 내야 하나요?"
- 장 "맞아요. 게다가 국세의 10%의 지방소득세가 관할구청으로부터 추징되는 4.2억 원을 더 내셔야 하죠. 그리고 건강보험료도 더 추징나오기도 하구요."
- 이 "리먼 브러더스 사태 이후에 대휴마린의 현금흐름이 무척 안 좋아요. 모와 둔 돈이 구멍난 주머니에 넣어 둔 동전처럼 후루룩 털려 나가는 느낌인걸요"

이강재는 속으로 울고 있었다. 그냥 법인세 성실신고하고 수입알선수수료로 친구에게 정식으로 돈을 주었다면 이런 일은 없었을텐데. 그냥 본세 12억 원의 법인세를 탈루한 대가가 무려 4배 가까운 세금으로 변할 줄이야. 땅을 치고 싶을만큼 후회를 하고 있었다.

🔵장 "원래 그래요. 수입을 60억 원 빼돌리나 경비를 60억 원 부풀리나, 국세청에 걸리면 거의 80% 정도는 세금으로 얻어 맞죠. 그뿐 아니예요. 탈루세액의 크기에 따라 조세범처벌법에 의해서 과징금도 맞는데 통상 본세의 50% 정도 과태료 때리니까 십여억 원 이상 세금 외로도 처벌받을 수 있어요. 그뿐 아니라 다른 법령 위반으로 고발…"

🔵이 "그만 얘기하세요. 제가 잘못했어요. 아무리 태란 씨 얘기라도 제정신으로 듣기가 쉽지 않네요. 요즘 해운업이 너무 불황이라 불안한데 모든 게 다 돈이라고 하시니 너무 힘듭니다."

🔵장 "아뇨, 그게 아니라. 지금이라도 뷰티풀팰리스로 빼돌린 돈이 이강재 대표 것이 아니고, 경비를 부풀려서 해외로 유보한 회삿돈이었고, 이것을 주식형태로 다시 회사로 들여온 것일 뿐이라고, 즉 해외투자주식은 허위이니 그 투자주식 30억 원을 무상감자無常感資 처리하시고 실질적으로 100% 회사지분을 소유하신 이강재 대표가 실제 이익을 취한 적이 없다고 소명하자는 얘기를 하고 싶었

1년 20억 원 3년 탈세시	본세	12억 원
	가산세	약 5억 원
	납부불성실가산세	약 1억 원
	개인세금(소득세)	24억 원
	지방소득세	4.2억 원
	건강보험료	추징
	과징금	10억 원+

어요."

이 "그래요. 그러면 괜찮을까요?"

장 "국세청에서 계속 과세한다고 하면 제가 불복청구를 해서 이겨 볼께요. 실제로 이강재 대표님이 취한 이익은 없었잖아요. 제가 아는 법무사님께 부탁해서 무상감자 당장 처리할 수 있도록 할게요."

이 "그럼 잘하면 법인세만 내도 되는 건가요? 18억 원."

장 "그 친구분의 거주자, 비거주자 판단에 따라 달라질 수 있는데 아무튼 그것도 계속 연구해 볼게요."

이강재는 장태란이 이토록 자신의 일을 돌보며 방어할 수 있는 논리를 개발해 주는 것이 좋았다. 그렇게 며칠이 흘렀다.

급하게 허대균 세무사의 호출로 이강재 대표 집무실에 이강재, 이운재, 장태란, 허대균이 모였다.

허 "오늘 드릴 말씀은 조속히 세무조사를 종결하자는 겁니다. 뭐 듣자하니 장태란 세무사님께서 차인성 조사관에게 전화해서 이게 이렇고 저게 저렇고 그리해 가면서 법인세만 내는 것이라고 하시는데 맞는가요?"

장 "가공경비처리한 것에 대한 법인세는 당연히 내는 것이고, 그 외 소득처분에 따른 개인소득세는 실질 이익 여부와 거주자 성격에 따라 달라질 수 있다고 전화드리고 관련 판례를 취합해서 보내드리고 있어요. 앞으로 계속 소명자료도 취합해서 대응할 겁니다."

허 "장태란 세무사, 세무조사 경험 없지요?"

장 "제가 조사를 해 봤냐고 하시는 건가요? 아니면 조사조력을 해봤냐고 말씀하시는 건가요?"

🅗 "세무조사를 직접 해 본 적이 있냐고요?"

🅙 "세무공무원 출신이 아니니 없죠. 그렇지만 세무조사조력은 계속
하고 있습니다. 세무조사를 공무원 입장에서 해 보는 것과 세무
조사를 납세자가 대응하는 것은 동전의 양면과 같은 거예요. 결
국 무엇이 법이냐를 판단하면 되는 거잖아요. 세무공무원 하신
게 그렇게 대단한가요?"

🅗 "아니, 세무조사라는 게 방향이 있고, 그 방향에 협조를 하면 좀
봐주고 끝내고 그런 거지, 자꾸 브레이크 걸면 조사가 오래가고,
그러면 힘들어져요. 우리 법무법인에서는 외환관리법, 아니 외환
거래법으로 고발하거나, 조세범처벌법으로 고발하지 않는 걸 성
공조건으로 하고 계약했어요. 잘못 했으면 세금만 내는 것으로
종결하면 되지, 자꾸 쑤시면 고발하고 그러면 힘들어져요."

🅙 "잘못 한 것이 있으면 시정하고, 세금 낼 거 내면 되고, 그 과정에
서 관계법령 위반 문제도 다투는 것이지, 세무공무원 한두 사람이
눈 감아 주면 법령 위반이 치유되나요? 아니면 법령 위반은 확정
적인 건가요? 아니면 법령 위반 사실이 뒤늦게 발각되면 성공보

수는 돌려주시나요? 지금 시정할 것이 있으면 다 시정하는 것이 장래를 위해서 좋은 거 아닌가요?"

장태란과 허대균은 목소리를 높이며 서로의 주장을 펼치고 있었다.

이 "세무사님들, 서로 이렇게 다투시면 어떻게 하나요? 제가, 제가 생각해 보겠습니다. 허대균 세무사님은 제가 어떻게 하면 된다는 것인가요?"

허 "제가 황도엽 팀장한테 들으니 3년간 60억 원 가짜경비 처리하셨다고. 법인세 18개는 확정이고요, 그냥 소득세도 24개 정도 내세요. 그걸로 종결해 준답니다."

장 "자기 돈 아니라고 막말을 하세요? 그걸 말씀이라고 하십니까? 법인세는 내는 것이지만 개인소득세는 쟁점이 많은데, 특히 친구분은 제가 출입국 기록 받아 보니까 비거주자가 될 여지가 충분해서 대한민국의 과세권이 없을 가능성이 농후해요. 그리고 이강재 대표님도 실제로 취한 이익이 없다구요."

허 "조사를 모르시면 가만히 계세요. 그냥 계속 이렇게 세무조사에 발목 잡으시면 과징금으로도 더 때릴 수 있는데, 과징금은 안 때린다잖아요. 그리고 외환거래법 고발도 안하고."

장 "그게 그렇게 무섭나요? 과징금은 규모에 따라 안 나오니 안 때리는 것뿐이고, 외환거래법도 관세청 고시를 보니 과태료 1~2억 원이 전부던데요?"

허 "말이 안 통하는 세무사님이시네. 그럼 이강재 대표께서 알아서 하세요. 저희 말 안 들으시면 더 힘들어져요."

장태란은 사무실을 박차고 나가는 허대균을 뒤에서 노려보면서 '좋은 세무사도, 경험이 있는 세무사도 아니군. 그냥 브로커였어.' 혼잣말을 한다. 그러나 이강재 대표는 허대균을 따라 나가서는 한참 동안 돌아오지 않았다.

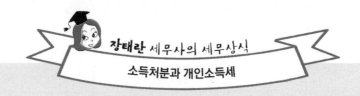
법인의 가공경비 등 사실이 적출되면 과세관청은 일단 법인의 경비를 부인하여 법인세를 과세하고, 법인의 소득이 외부로 유출된 것으로 보아 이 유출금액의 귀속자를 찾아 소득세를 과세한다. 이를 '소득처분'이라고 한다. 소득처분은 그 귀속자에 따라 임직원은 상여(근로소득), 주주는 배당(배당소득), 그 외의 자는 기타소득으로 보아 소득세를 과세한다. 다만, 소득세 과세가 불필요한 경우에는 기타사외유출이라 하여 소득세 과세를 제외한다.

과세관청은 세무조사에 따라 밝혀진 과세사실로 법인세를 추징할 때 납세고지서를 보내서 징수한다. 하지만 소득처분에 따른 근로소득세 등의 징수는 '소득금액 변동통지*'라는 안내문을 보낸다. 이 소득금액 변동통지를 수령한 법인은 소득금액 변동통지서를 수령하고 다음 달 10일까지 귀속자의 근로소득세 등 원천징수세액을 납부해야 한다.

* 개인의 신고소득금액이 소득처분으로 변동되었다는 통지

그리고 귀속자가 종합소득세 신고·납부를 별도로 하는 자일 경우에는 종합소득세 정산을 귀속자 스스로 해야 한다. 소득금액 변동통지서 수령일 다음다음 달 말일까지 소득처분 사항을 반영한 종합소득세를 정산해 추가로 신고납부하면 애초부터 정상적으로 신고·납부한 것으로 간주한다.

과세관청이 법인에 법인세 납세고지서와 소득금액 변동통지를 2018년 6월 20일에 했다고 하자. 이 경우 법인은 추징된 법인세(가산세 포함)를 납세고지서상 납부기한까지 납부한다. 그리고 소득금액 변동통지의 귀속자에 대한 원천징수세금을 정산하여 2018년 7월 10일까지 사업장 관할세무서에 납부해야 한다. 그리고 소득귀속자는 2018년 8월 31일까지 소득처분사항을 반영하여 종합소득세를 정산해 추가신고 자진납부를 하면 과소신고로 인한 가산세는 없다.

바이럴 마케팅(Viral Marketing)

장 '역외탈세라는 걸 안 지도 벌써 6년이 되었어.'

대휴마린 주식회사에 서울청 조사4국이 영치세무조사를 나온 2010년, 그 어두운 세무조사를 통해 전형적인 역외탈세의 모습을 볼 수 있었다. 그런데 그것이 끝은 아니었다.

"Hello, It's me, I was wondering if after all these years you'd like to meet to go over everything" (안녕 나야, 궁금한 게 있어, 시간이 흐르고 나면 그때 너와 다시 만날 수 있을까? 모든 게 다 무뎌지고 나면 말이지 - Adele의 Hello)

장태란은 문득 과거를 회상하다가 스마트폰의 벨소리에 고개를 돌린다.

장 "여보세요?"

배 "안녕하세요. 장태란 세무사님, 저 가끔씩 세무신고대리 맡기고 있는 배○○이라고 하는데 기억하세요?"

장 "아, 잠시만요. 아 배○○ 사장님. 그런데 세금신고 시즌도 아닌데 어쩐 일이세요?"

배 "그러게요? 그러니까 제가 조그만 온라인 쇼핑몰을 하잖아요? 매출도 별로 없지만요. 그런데 개인적으로 쓸려고 손톱깎이 같은 잡화류를 해외 온라인 쇼핑몰에서 샀거든요. 그런데 그게 한두 개 사면 비싸니까 벌크*로 샀어요."

* 제품을 큰 박스에 낱개 포장을 하지 않고 대량으로 담아 출하하는 것을 말한다. 포장비 등 간접비 절감으로 가격이 낮은 것이 보통이다.

장 "그런데요?"

배 "그게 남아서 제 온라인 쇼핑몰에서 팔면 부가가치세가 붙는 거 맞죠?"

장 "그럼요. 사장님께서는 전자상거래 사업자등록을 하고 온라인 쇼핑몰을 운영 중인 사업자이시니 당연히 온라인 쇼핑몰 매출에 대해서는 부가가치세*를 내셔야죠."

* 사업자가 재화 또는 용역을 공급(매출)할 때 매출액의 10% 상당액을 매입세액공제 후 납부하는 소비세

배 "그런데요, 제가 가입한 온라인 카페 주인장이 그러는데 카페에서 공동구매 형식으로 구매회원을 모으고, 바이럴 마케팅 좀 해 주면 잘 팔리기도 하고, 개인통장으로 입금받으니까 세금도 안낸다고 하던데 맞나 싶어서요?"

'바이럴 마케팅'이란 바이러스와 오럴의 합성어로 입을 통해 제품을 알린다는 의미지만, 대개는 인터넷 카페 또는 SNS를 통해 사용후기를 잘 작성해서 동시다발적으로 배포하여 광고하는 것을 말한다. 스마트폰의 보급으로 정보통신환경이 급격히 발달하자 이러한 바이럴 마케팅이 매우 효과적인 광고수단으로 활용되고 있다.

그런데 이러한 바이럴 마케팅이 회원 수가 많은 인터넷 카페와 결부되어 상업적 목적으로 활용되고, 더 나아가 의뢰업체와의 음성적 거래로 매출누락과 세금탈루의 수단으로 악용되기도 한다.

🅙 "어떤 포털사이트의 카페인지 모르겠지만, 그 카페 이용 안하시는 것이 좋겠네요."

🅑 "네?"

🅙 "그게 전형적인 인터넷 카페 세금탈루 수단이거든요. 아마 그 카페 주인장이 그렇게 공동구매와 바이럴 마케팅으로 판매한 수입금액의 상당액을 수수료로 달라고 하지 않던가요?"

🅑 "네. 그런데 뭐 일정 부분 쥐야지 일이 되겠죠."

🅙 "바이럴 마케팅 수수료도 수수료지만 세금을 탈루하자면 공동구매

통장입금을 유도하는 거예요. 그런데 사장님께서는 전자상거래 사업자등록이 있는 것은 물론이거니와, 사업자등록이 없다손 치더라도 벌크로 대량 구입한 사실이 지속적으로 과세관청에 노출되면 어차피 그 물건의 판매처를 조사하고, 조사하다보면 인터넷 카페를 통한 공동구매, 통장입금유도, 세금신고시 현금매출누락이 드러날 거라는 거예요."

배 "그런게 다 들키나요?"

장 "국세청이 바보인가요? 이미 주요 포털사이트의 최상위 카페들은 다 조사받은 걸로 들었는데요. 카페회원 심사받는 것도 아니고, 그런 조사가 뭐 그리 어려운 조사도 아니잖아요? 그리고 어차피 통장계좌가 다 노출되어서 통장거래 찾기도 쉬울텐데요."

배 "그런데 왜 제게 그런 제안을 했을까요?"

장 "아마도 제 생각에는 카페 주인장이 사장님께서 온라인 해외구매 대행 같은 걸 해 주길 바라는 것 같아요. 그게 좀 특별하고 독특한 거면 찾는 이들도 많고 할테니 그런 것 아닐까요?"

최근 몇 년 동안 해외 온라인 쇼핑몰에서 국내 소비자가 직접 구매하는, 이른바 '직구'가 유행이다.

해외직구는 제품을 판매하는 국가 입장에서는 수출이기 때문에 통상 "영세율 또는 면세"라고 해서, 내국물품에 붙는 물품금액의 10% 상당액의 부가가치세가 없다. 그러다 보니 수입가격이 싸기도 하고, 물건가격이 높지 않으면 수입제품에 붙는 관세도 없다. 따라서 수입업체를 통해 통관되어 우리나라에서 유통되는 제품과의 가격에서 매우 유리한 측면이 있다.

그러다 보니 해외직구를 대신해 주는 것을 사업목적으로 하는 해외구매대행업체가 많이 생겨나게 되었다. 이러한 해외구매대행업체가 인터넷 카페로 들어가 해외구매대행과 바이럴 마케팅이 결합하면 꽤 근사한 사업아이템이 될 수 있다.

그런데 사실상 해외구매대행업체가 소비자에게 대행했다라고 하기 보다는 특정 수입물품을 대량으로 들여와 판매한 것과 같다. 그렇게 되면 앞서 수입업체를 통해 통관되어 우리나라에서 유통되는 제품과의 가격에서 매우 유리한 측면은 모두 사라진다. 왜냐하면 사업자가 대량수입한 건에 대한 관세가 부과되고, 대량판매한 것에 대한 부가가치세를 추징하기 때문이다.

🔵 "그게 그러니까 개인적으로 사용하려고 수입했다고 하고 인터넷 카페에 공동구매로 팔아도, 결국은 제가 수입해서 온라인 쇼핑몰에다 파는 것에 대해 부가가치세도 내고, 종합소득세도 내고 있는 것처럼 될 수 있다는 말씀이시죠?"

🔵 "맞아요. 이해가 빠르시네요."

🔵 "그런데 그것 제 남편 이름으로 해도 안되나요?"

🔵 "아휴, 그건 사업자등록을 하고 안하고의 문제가 아니라니까요. 그 내역이 밝혀지면 개인적 소비목적으로 수입했냐? 아니면 사업목적으로 수입했냐만 따지면 되는 거예요."

🔵 "네, 그렇군요. 그럼 더 알아보고 연락드릴께요."

더 알아본다는 말… 많은 사업자들이 이득이 된다면 그것이 불법이든 합법이든 가리지 않는 성향이 있고, 불법이면 발각될 확률같은 것을 따진다. 그런데 문제는 그 나쁜 습관이 누적된다는 것이다. 그리고 그 누적횟수는 발각확률도 높인다.

처음 불법을 할 때는 신중하고 떨리고 힘들지만, 그것이 쉽게 발각되는 것이 아니라는 걸 깨달으면 죄의식 없이 불법을 저지른다. 그것이 쌓일 때 그때 비로소 검은 양복의 공무원들이 불시에 들이닥친다는 것을 알았으면 하고 장태란은 생각해 본다.

아마도 그 인터넷 카페 주인장은 방금 전화를 건 사업자에게 더 달콤한 유혹을 할 수도 있을 것이다.

통상 인터넷 쇼핑몰을 여러 명의 명의자로 분산시켜 간이과세자*로 사업자등록을 하게 하고, 수입금액이 노출되더라도 간이과세자로서 매출액의 1%만 부가가치세를 내고, 소득금액 분산으로 종합소득세도 매우 적게 납부하는 형식적인 시스템까지 알려줄 수도 있다.

* 연간 매출액이 4,800만 원 미만인 개인사업자로 간이과세자 신분에서는 매출액의 1~3% 정도의 부가가치세를 납부한다. 소소한 탈세수단으로 악용되기도 한다.

레미제라블의 뮤지컬 "WHO AM I"에서 장발장은 "나는 누구지? 나는 나 자신을 위해 존재하지, 그렇다고 나 자신만을 위해도 되는가?"라고 독백한다.

그리고 "죄 없는 사람이 자신으로 인하여 고통을 받아도 되는지?"라면서 고뇌를 한다.

세금을 기꺼이 납부하려는 사람들은 그리 많지 않다. 그러나 그만큼 납부해야 하는지는 잘 알고 있다. 그런데 그 사람의 여린 마음 속에 파고 들어 탈세를 조장하고 수수료로 이득을 취하려는 자들도 있다. 모두 장발장의 고뇌가 필요한 자들이다.

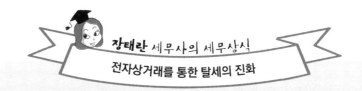

- 2000년대 전국에 초고속 인터넷망이 깔리고, 온라인으로 옥션(경매) 형식의 물품판매를 통한 수입금액 누락이 전자상거래를 통한 탈세의 시작이었다. 사업자가 아닌 개인의 물품판매에는 세금이 붙지 않기 때문이다.

- 2007년경 사실상 사업상 거래이나 온라인몰을 통한 개인 경매식 판매로의 세금 탈루를 막고자, 온라인몰에 의한 사업상 거래를 파악하기 위하여 온라인몰을 통하여 통신판매를 하는 사업자의 사업장 규정을 마련하고, 대대적인 세무조사를 하기도 하였다.

- 초창기 결제대행업체(Payment Gateway)도 세금탈루의 한 몫을 담당했는데, 온라인몰의 신용카드 결제정보가 모두 결제대행업체로 들어가고, 실제 판매사업자의 판매정보를 알기 어렵자 국세청은 결제대행업체의 온라인 결제대행기록을 모두 보고하도록 법령 개정을 하기도 했다.

- 그러자 거래의 매개는 인터넷 포털카페나 유명 블로그로 하고, 결제는 개인 차명통장을 이용하는 공동구매와 바이럴 마케팅을 활용한 탈세방식이 등장했다. 최근에는 해외구매대행을 통한 탈세방식도 생겨나기 시작했다.

- 그러나 온라인만큼 세무조사하기 쉬운 분야도 없을 것이다. 누구나 온라인에 접속하면 공개된 정보를 볼 수 있지 않은가? 단지, 세금을 내는 시기만 늦출 수 있을 뿐이지 영원히 탈루할 수는 없는 노릇이다.

트러스트(trust, 信託)

　　장태란은 2017년에 나온 대법원 판례를 살펴보고 있었다. 대법원 2017. 5. 18. 선고 2012두22485 전원합의체 판결에 따르면 자익신탁이든 타익신탁이든 신탁재산의 관리·처분에 따른 부가가치세 납세의무자는 수탁자라는 것이다.

　　종전에 대법원 판례와 국세청 유권해석에서는 신탁재산의 처분과 관련한 부가가치세 납세의무자의 판단에 있어서 자익신탁(신탁의 수익이 위탁자 자신에게 귀속되는 신탁)은 위탁자로, 타익신탁(신탁의 수익이 위탁자가 아닌 수익자에게 귀속되는 신탁)은 수익자로 판단하고 있었다.

　　이는 부가가치세법의 위탁매매의 법리를 차용한 것이었는데 신탁(trust) 제도*는 위탁매매 제도와 다르다는 이유로 많은 비판이 있었다.

* 신탁회사로 하여금 일정한 목적에 따라 자신의 재산을 관리·처분하도록 하기 위하여 재산을 이전시키는 행위로 신탁회사로 이전된 재산은 형식상 신탁회사의 소유가 된다.

그러다 이번 대법원 판결로 "재화를 공급하는 자는 위탁매매나 대리와 같이 부가가치세법에서 별도의 규정을 두고 있지 않는 한 계약상 또는 법률상의 원인에 의하여 그 재화를 사용·소비할 수 있는 권한을 이전하는 행위를 한 자를 의미한다고 보아야 하고, 수탁자가 위탁자로부터 이전받은 신탁재산을 관리·처분하면서 재화를 공급하는 경우 수탁자 자신이 신탁재산에 대한 권리와 의무의 귀속주체로서 계약당사자가 되어 신탁업무를 처리한 것이므로, 이때의 부가가치세 납세의무자는 수탁자로 보아야 한다는 것이다."는 새로운 판례가 확립되었다.

다만 2017년 말 세법을 개정하여 담보신탁*의 경우에는 수탁자가 부가가치세 납세의무자, 그 외 신탁의 경우에는 여전히 위탁자가 부가가치세 납세의무자가 되나, 위탁자가 부가가치세를 납부할 여력이 없는 경우에는 수탁자인 신탁회사에 납세의무를 지우는 법령을 확립했다.

* 채권자가 돈을 빌려주고 채무자의 재산에 저당권 등을 설정하는 것이 아닌 담보신탁의 형태로 채무자의 재산을 이전받는 신탁형태로 수탁자가 채권을 회수하기 위하여 채무자의 재산을 파는 행위에는 수탁자가 부가가치세를 납부하여야 한다는 의미

"Hello, It's me, I was wondering if after all these years you'd like to meet to go over everything"

- 장 '공부 좀 하려는데 왜 이리 전화가 많이 오는 거야.'
- 장 "여보세요?"
- 한 "저 혹시 강○○ 회계사님 아시나요?"
- 장 "네 세무대학원 동기셨는데, 어떤 일이시죠?"
- 한 "그분 소개로 전화드리는데요, 혹시 시간 있으시면 세무상담 좀 할 수 있을까요?"

🅟 "그러시죠. 간단한 것이면 유선상으로 하시죠."

🅗 "아뇨. 제가 조금 심각한 상담이라서, 제 사무소로 방문해 주시면
안될까요?"

태란은 3년 전 대학원에 입학하여 작년에 졸업했는데, 대학원 재학시
절에 알게 된 동기 강○○ 회계사 지인의 요청에 따라 세무상담을 위해
청담동에 소재한 ○○빌딩을 찾아갔다.

🅟 "안녕하세요. 저 세무상담 요청받고 찾아온 장태란 세무사라고 합
니다."

🅗 "말씀 많이 들었습니다. 저는 조그맣게 무역업을 하는 한○○라고
합니다."

장태란은 깡마르고 광대뼈가 튀어나온 한사장의 첫인상에 가방수출업
을 하는 작고 통통한 홍학익 회장과 해운사를 했던 훤칠하고 잘 생긴
이강재를 떠올리며 '무역하는 사람들도 각양각색이구나.' 생각을 한다.

🅟 "수출 쪽은 제가 좀 아는데."

최근 관세청 압수수색을 당한 모랄티움 주식회사 생각에 옅은 미소를
띄며 태란은 혼잣말을 했다.

🅗 "네?"

🅟 "아뇨, 혼잣말입니다. 그런데 무슨 일로 보자고 하셨나요?"

🅗 "저희 어머니가 캐나다에 사시다가 얼마전 돌아가셨는데, 상속세
신고를 해야 할 것 같아서요. 어머니께서 한국에 부동산도 가지
고 계시고 예금도 있고 그러시거든요."

🅟 '음, 만만치 않은 얘기가 될 것도 같군'.

㉚ "일단 어머님과 생계를 같이 하는 가족이 한국에 계신가요?"

㉠ "뭐 어머님과 생계를 같이 했다고 하는 게 어떤 뜻인지 모르겠지만, 저와 제 여동생은 한국에 있어요."

㉚ "상속세라는 것이요, 사망하신 분이 거주자냐 여부가 쟁점이 되요. 거주자이면 국내외 모든 재산에 대해서 상속세를 내야 하고, 비거주자이면 국내 소재 재산에 대해서만 상속세를 내면 되거든요."

㉠ "거주자 판단은 국적으로 하나요?"

㉚ "아니예요. 가족과 재산이 국내에 있으면 거주자이고, 그 판단이 곤란하면 출입국 기록상 국내에 2년 내 6개월 이상 거주*했는지로 판단하거나, 직업이 뭔지 그렇게 판단하는 거예요."

* 거주자 판단에 있어 2017년 말 세법이 개정되어 1년 내 6개월 이상 거주로 완화되었다.

㉠ "그럼, 일단 거주자로 칩시다. 그러면 상속세는 얼마나 되나요?"

㉚ "아버님은 살아계신가요?"

㉠ "아니요. 아주 오래 전에 돌아가셨어요."

㉚ "그러면 일괄공제로 5억 원을 상속재산에서 차감하고, 그 나머지에 대해서 10%에서 최대 50%까지 누진적으로 상속세가 계산이 됩니다."

㉠ "생각보다 간단하네요. 그럼 상속재산만 알려드리면 바로 상속세는 알 수 있겠네요."

㉚ "네, 그런데 상속재산은 적극재산뿐만 아니라 소극재산, 즉 빚도 알려주셔야 합니다. 예를 들어 아파트 같은 거 전세 놓고 계시면 아파트 시세에 전세보증금 빚을 차감한 금액이 상속재산으로 평가되니까요."

㉠ "무슨 말씀인지 알겠어요."

태란은 대략적인 상속세 계산구조를 알려주고 상속세 신고대리를 수임하기로 하고 돌아왔다.

그러던 얼마 후 한통의 전화가 왔다.

장 "네, 장태란입니다."

한 "저 얼마 전에 한○○ 씨로부터 상속세 상담
　　해 주신 분 맞죠?"

장 "네 그런데요, 누구시죠?"

한 "전 한○○ 씨 동생인데요, 거주자가 사망하
면 국내외 모든 재산에 대해 상속세를 내야 한다고요?"

장 "네, 맞습니다만."

한 "제가 지금 ○○대학에서 로스쿨을 다니는데
　　요, 저희 어머니가 어떤 이유로 거주자인
　　가요?"

'이건 뭐지?' 장태란은 로스쿨을 다닌다며, 세법
을 아는 양 자신에게 따지듯 묻는 한사장의 여동생에게 불쾌감을 느끼
고 있었다.

장 "거주자 판정은 가족과 재산을 기준으로 하는 것이 원칙이라고 말
　　씀드렸고, 그게 불분명하면 출입국 기록이나 직업으로 판단한다
　　고 했으니 정확히 거주자라고 말씀드린 적은 없어요."

한 "그럼, 비거주자면 국내재산만 신고하면 되는 거 맞죠?"

장 "네, 그렇긴 한데 그러면 일괄공제 5억 원이 아니라, 기본공제 2억
　　원만 받을 수 있습니다."

한 "그게 무슨 말이죠?"

🅟 "비거주자는 상속공제 중 기본공제 2억 원만 받을 수 있거든요. 반면 거주자는 여러 가지 상속공제를 받을 수가 있어요. 댁의 경우는 일괄공제 5억 원, 금융재산에 대한 금융재산상속공제 2억 원까지 가능할 것으로 보이는데요."

🅗 "그럼 공제는 거주자로 다 받고, 재산은 국내 것만 신고하면 되겠네요."

🅟 "무슨 말씀이시죠?"

🅗 "사실 저희 어머니가 캐나다에 부동산이 있어요. 신탁회사(trust, 信託)에 맡겨 두고 있죠. 그것도 우리가 상속받을 건데 그걸 우리나라 국세청에서 알 길이 없을 것 같아서요. 등기등록이 신탁회사로 되어 있으니까요."

🅟 "뭐 그럴 수 있다고 칩시다. 해외 예금자산은 국제적으로 정보교환을 하고 있는데 해외 부동산은 아직까지지만요. 그래도 탈루사실을 알고 신고를 안하긴 어렵죠."

🅗 "그래요? 세무사가 세금 줄여주려고 있는 직업 아닌가요? 좀 딱딱하시네요. 상속세 신고는 제가 조금 더 알아보고 할께요."

장태란은 법을 공부하면서도 탈세를 이야기하는 자와 더는 얘기하기가 싫어 그러시라 하고 전화를 끊었다.

역외탈세로 벌어들인 비자금이 직접 또는 신탁회사를 통해 해외 부동산 등 자산을 취득하는데 들어가고, 이후 본인이 사망하면 그 해외 자산이 자식들에게 상속된다.

이런 재산 중 해외신탁회사 명의의 재산은 잘 알기가 어렵다. 그런 발각확률을 이용하여 상속재산을 또 누락하는 방식이 역외탈세의 흔한 수법으로 쓰인다.

그러나 해외 자산으로 벌이들인 수익을 국내에 들여오는 등 탈루사실이 적발되어 비자금 조사, 상속세 조사, 역외탈세 조사를 받게 되는 것이다. 하지만 아직까지는 해외 금융자산에 대한 국제공조만 가능한 것이 현실이다. 해외 부동산에 대한 국제공조가 강화된다면 어떤 일이 벌어질까?

'멋진 변호사로 인생을 살고 있다가 역외탈세자라는 사실이 밝혀지면 스스로 얼마나 부끄러울까?'

장태란은 한사장의 여동생을 걱정해 본다.

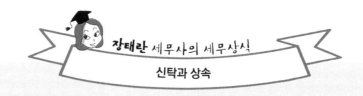

　신탁(trust)이란 현금이나 재산을 신탁회사에 맡기면 신탁회사가 그 재산을 관리, 운용, 처분해 주는 서비스를 제공하고 수수료를 받는 제도를 말한다. 신탁의 기본 구성요소는 자기 소유의 재산을 신탁하는 '신탁자'(또는 위탁자), 법률상의 재산권을 부여받아 당해 재산을 관리하는 '수탁자', 당해 신탁재산으로부터 궁극적인 이익을 받는 사람이나 단체로서의 '수익자'가 있다.

　상속세및증여세법 제9조는 피상속인(사망자)이 신탁한 재산은 상속재산으로 본다고 규정하고 있으며, 또한 피상속인이 신탁으로 인하여 타인으로부터 신탁의 이익을 받을 권리를 소유하고 있는 경우에는 그 이익에 상당하는 가액을 상속재산에 포함한다고 규정하고 있다.

역·탈

제 **15** 화

압색(압수수색)

"Hello, It's me, I was wondering if after all these years you'd like to meet to go over everything (안녕 나야, 궁금한 게 있어, 시간이 흐르고 나면 그때 너와 다시 만날 수 있을까? 모든 게 다 무뎌지고 나면 말이지 – Adele의 Hello)

(장) '일 좀 하려니 또 전화구만. 홍회장? 모랄티움 주식회사의 회장.'

(장) "여보세요?"

(홍) "안녕하세요. 장태란 세무사님, 홍학익입니다."

(장) "그간 잘 지내셨어요? 김장우 부장을 통해 업무협조하고 있었는데 관세청 압수수색 일은 잘 되어 간다고 듣고 있습니다."

(홍) "그것 때문에 인사드리려고 전화드렸습니다. 세금은 수정신고하기로 했고, 벌금 조금 내는 것으로 마무리가 되어가는 것 같아요.

감사드려요. 벌써 두 번이나 신세를 졌네요."

🅒 '이번에는 3년 전 세금쟁송사건과는 달리 인사도 없이 일을 끝내지는 않는구만.'

모랄티움 주식회사는 여행용 가방을 만들어 수출하는 회사이다. 수출오더는 외국 바이어한테 받는데 가방제작은 중국에서 하고 있다. 가방을 만드는데는 공임(CMT)과 재료(원부자재)가 들어간다.

그런데 공임은 중국 임가공공장에 보내면 되지만, 자재비용은 중국의 영세업체로부터 무자료로 사기 때문에 홍콩에 개설한 페이퍼컴퍼니를 통해 송금하여 자재를 사고 있었다. 거기까지는 외환거래와 사업의 실질이 부합하니 큰 문제가 없어 보인다.

그러나 가방제작비를 부풀려서 홍콩 페이퍼컴퍼니에 수출대금의 5%가량을 더 보내다 보니, 그 5%가 홍콩 계좌에 쌓이고 그 돈을 모랄티움 주식회사에 유상증자 형태로 다시 들여온 것이다. 업종만 다르지 장태란이 처음 경험했던 대휴마린 주식회사의 역외탈세 수법과 다를 바가 없었던 것이다.

다만 대휴마린 주식회사, 아니 이강재는 그때 모든 것을 바른 대로 정리하기 보다는 유명하다는 법무법인 소속의 세무사 허대균이 조언한 대로 거액의 세금을 내고 끝내는 방법을 선택했다.

이러한 역외탈세에서 선물세트처럼 따라붙는 죄목들이 있는데 세금추징문제 외에 조세포탈죄, 해외금융계좌 신고의무위반 과태료, 외환거래 신고의무위반 과태료, 재산국외도피죄, 범죄수익은닉죄가 바로 그것이다.

🅒 "비자금 만드신 거 회사로 들여온 것은 정말 잘 하신 일입니다. 만

일 해외에서 소비하셨다면 큰 죄가 되었을 거예요. 그리고 가짜 해외투자지분을 무상소각하신 것도 큰 도움이 되셨을 겁니다. 특히 국세청 세무조사가 나온다면 더더욱 그래요. 물론 애초부터 사업목적이 아닌 페이퍼컴퍼니를 세우지 말아야 하는 거지만요."

⊙ "아이쿠! 이젠 뭐 그런 거 누가 돈 주고 만들어줘도 안합니다. 법대로 하는게 제일 절세라는 걸 이제 깨달았어요. 이거 가산세랑 과태료가 세금보다 더 커요. 제가 미련했습니다. 그렇지만 큰 죄 없이 벌금으로 마무리한 것만으로 다행이라고 여기고 있어요."

그래. 그때 이강재 대표도 똑같은 방식으로 홍콩의 뷰티풀팰리스 유한공사에 60억 원을 부풀려서 보냈다. 그 중 30억 원은 이강재 대표의 친구 주머니로 들어갔고, 30억 원은 이강재 대표의 대휴마린 주식회사에 다시 외국인주식투자형태로 흘러들어왔다.

그 친구에게 귀속된 30억 원이 가공경비인지, 부당행위에 따른 과다경비인지, 그 친구가 거주자인지 비거주자인지에 따라서도 세금은 달라질 수 있었다.

그리고 대휴마린 주식회사에 다시 주식투자형태로 들여온 돈이 과연 이강재 대표의 지분을 늘려서 이강재 대표에게 귀속되었는지도 지분율 변동 추이에 따라서 달라질 수 있었다.

그러나 이강재 대표는 60억 원 모두 가공경비로 이강재 대표에게 귀속된 것으로 마무리하면서 40억 원 이상의 세금을 냈다. 물론 그 법무법인이 성공조건이라면서 서울지방국세청이 검찰에 외국환거래법이나 조세범처벌법으로 고발하지 않도록 조치했다는 말에 혹했겠지만. 그런데 그게 끝이 아니었다.

대휴마린 주식회사는 국제적으로 선박운임이 높아지고 있던 2004년에 창업되었다. 그 당시 한국은 세법을 개정하여 해운사의 법인세 부담을 줄여 국제경쟁력을 확보한다는 이유로 톤세 제도(실제 이익이 아닌 운송톤수에 따라 세금을 내는 제도)를 도입할 정도로 해운사 이익이 좋았다.

그러나 대휴마린 주식회사는 톤세 제도를 선택하지 않았고 일반적인 법인세, 즉 영업이익 기준으로 세금을 내는 것으로 하면서 홍콩에 소재한 유류회사를 통해 선박에 사용되는 유류대금을 부풀려 송금하는 방식으로 법인세를 탈루했다.

그러다 2010년 서울지방국세청 조사4국의 세무조사를 받은 것이다. 그때 바르게 정리했어야 했는데, 대휴마린 주식회사는 손쉬운 길을 선택했다. 거액의 세금을 내는 것으로 홍콩을 통한 역외탈세에 대해 마무리하려고 했다.

그리고 이강재 대표는 장태란을 불러 회사의 감사가 되어달라고 제안했다. 그간에 잘못된 세금관계를 모두 알았으니 세금 많이 내는 것으로 죗값을 치루고 싶었다며, 앞으로는 큰 잘못 없도록 옆에서 자신을 지켜달라고. 그러나 그런 값비싼 해결책은 진정한 해결책이 아니었다.

"우웅…우웅…우웅…우웅"

2012년 봄 어느 날, 장태란은 전날 밤 대학시절 동기들과 오랜만에 만나 새벽까지 술자리를 하고 사우나에서 아침나절 내내 정신없이 자고 있었다.

"저기요, 옆에서 시끄럽다고 전화 좀 받으시라는데요."

장태란은 술이 덜 깬 채 비비적거리며 일어나서는 핸드폰을 보았다.

부재중 전화가 무려 20통이 넘었다.

장 "여보세요. 이운재 부장님. 아침부터 무슨 일 있으세요?"

이부 "네 감사님, 지금 회사에 난리가 났습니다."

장 "예? 무슨 난리가요, 국세청 조사4국이라도 나왔습니까?"

이부 "국세청이 아니라, 서울세관 외환조사과에서 압수수색이 나와서 지금 감사님을 찾고 계세요. 이강재 대표님와 같이 있는데 이미 회사의 모든 자료는 다 압수 당했구요."

장태란은 어젯밤 늦게까지 마신 술이 머리털 사이로 흘러나오는 것처럼 머리가 무겁고 현기증이 나는 걸 느꼈다.

장 "네? 네, 지금 바로 갈께요."

2010년 말 대휴마린 주식회사에 서울지방국세청 조사4국이 영치세무조사를 나온 후 거액의 세금을 추징당했지만, 2012년 4월 서울세관 외환조사과에서 압수수색이 나온 것이다.

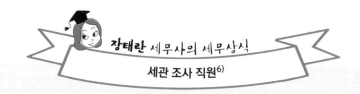

　국가 간 물품교류가 활발해진 요즘, 수출입 물품과 관련된 범죄도 같이 늘어나고 있습니다. 교묘한 수법으로 물품에 대한 세금을 내지 않거나 내야 할 세금보다 적게 내려는 사람들, 응당 적법한 처벌을 받아야 할 텐데요. 그것을 위해 이들을 쫓는 사람들이 있습니다. 바로 세관 조사 직원입니다. (중략)

　서울본부세관 '조사정보과'에서는 '밀수신고센터'를 통해 밀수관련 내용을 제보받아 이를 바탕으로 현장수사를 진행합니다. 밀반입된 물품들을 압수조치하고 이후 어떤 경로를 통해 밀수입된 것인지 사건의 정확한 경위를 파악하는 것까지도 세관 조사 직원의 역할입니다.

　SNS를 통한 1:1 거래, 해외 직구 등의 증가로 인해 바빠지는 곳이 있습니다. 바로 전자상거래에서의 관세법 위반 행위를 잡아내는 '사이버조사과'입니다. 사이버조사과에서는 인터넷에서 유통되는 부정 수입물품을 감시하고 어떻게 통관됐는지 확인해서 단속하는 일을 하고 있습니다.

　마지막으로 소개할 부서는 불법 외환거래를 적발하는 '외환조사과'입니다. 국가의 재정수입에 피해를 주는 불법 외환거래, 기업의 교묘한 탈세행위를 잡기위해 사소한 정보도 지나치지 않고 의심해 보는 곳입니다. 홍콩의 유령회사에 100억 원의 자금을 빼돌려 탈세를 해 온 회사가 발견되면서 한동안 화제가 되었습니다. 그 사건이 '외환조사과'를 통해 해결되었습니다. (생략)

---

6) 관세청 블로그 http://ecustoms.tistory.com/4297(EBS 내 인생의 직업, 세관 조사 직원을 소개합니다. 2016. 6. 30.)

지금 지옥을 가고 있다면 계속 가라

　　장태란은 사우나에서 자다 일어나 아무런 치장도 없이 헝클어진 머리
를 휘날리면서 회사에 도착했다. 그러나 이미 많은 일들이 끝난 상태였
다. 2010년 말에 그랬듯, 장태란의 책상에 놓인 컴퓨터의 Lock을 해제해
서 디지털 포렌식 장비로 데이터를 빨아가는 일만 남은 것 같았다.

　장 "또다시 이게 무슨 일인가요?"

　　이강재의 집무실에 들어가 그 방에 앉아 있는 외환조사과 직원들과
이강재 대표를 향해 장태란이 던진 첫 마디였다.

　이 "장감사님, 일단 앉으세요. 저희 일 모든 거 2010년 말, 아니 2011
　　년 초 세금을 다 내고 정리했다고 생각했는데 그게 아니었나 봐
　　요. 일단 앉으세요."

이강재의 풀죽은 목소리와 깊게 떨궈진 고개가 '이미 모든 것이 끝났구나'라는 느낌으로 다가온다.

조 "저는 서울세관 외환조사과 조성남이라고 합니다. 2010년 서울지방국세청에서 세무조사 받으신 건과 관련해서 외환거래 조사차 압수수색을 나왔습니다."

장 "그런데 세관 직원이 왜 압수수색을 하나요?"

조 "저희 외환조사과는 관세청 내에 있는 조직이지만 외환사건에 대한 특수경찰 지위에 있어, 외환사건을 조사할 때는 서울중앙지검 외사부의 지휘를 받습니다."

국세청은 세무조사를 하고 조세포탈죄에 대한 전속고발권을 가지고 있는 대신 경찰의 지위가 없지만, 관세청은 관세조사를 하면서 형사사건에 해당하는 경우 검찰의 지휘를 받는 경찰의 지위를 부여받아 수사를 한다.

장 "우리 회사가 뭐가 문제가 되는 건가요?"

조 "수사를 해 보면 알겠지만 영장청구내역은 외환거래법 위반, 재산국외도피죄, 범죄수익은닉죄, 횡령죄에 해당하는 혐의로 수사하

는 것입니다."

장태란은 의자에 걸터앉아 있었지만 바닥으로 주저앉는 느낌이었다. 다만 내내 고개를 숙이고 있는 이강재 앞에서 한마디의 항변이라도 해 주고 싶었다.

🅐 "우리 회사는 2010년 말에 서울지방국세청 조사4국 조사를 다 받고, 거액의 세금도 다 냈습니다. 그때 세무조사조력을 해 주었던 법무법인이 검찰고발이 없는 것을 성공조건으로 하면서 제대로 정리해야 할 일들을 다 못한채 억울한 세금만 낸 측면도 있습니다. 그 내용도 다 아신다면 이제라도 소명하고 정리하고 싶습니다. 선처해 주세요."

🅑 "네, 조사내역 다 알고 있습니다. 일단 세금을 많이 내신 것 같으니 크게 문제 안 될 수도 있습니다. 너무 걱정마시고 조사에 성실히 협조해 주세요."

지옥의 문 앞에 선 것 같은 하루가 지나고 늦은 밤 대휴마린 주식회사의 회의실에는 이강재와 장태란만이 마주 앉아 있었다.

🅒 "장감사님, 면목 없습니다."

이강재 대표는 참담해 하는 장태란을 보면서 힘없는 한마디를 꺼낸다.

🅐 "2010년 말 그때 허대균 세무사 말이 전부일거라 생각하셨죠. 제가 조사경험이 부족해서 그랬나요? 어차피 그때 확실하게 정리할 건 하고 갔어야 했는데, 왜 그리 급하게 억울한 세금만 많이 내고 덮으셨나요?"

🅒 "장감사님을 못믿어서 그런 건 아니었어요. 그때는 세금만 내면 다

끝내 줄 것 같았어요. 허대균도 호언장담을 했고 유명한 법무법인이 그렇다니 그런 줄만 알아죠. 그리고 장감사님이 매일같이 조사국 차조사관과 전화하고 만나고 하시면서 조사과 직원들과 힘겹게 싸우시는 것도 저는 보고 싶지 않았어요. 그래서 돈으로 해결할 수 있을 때 해결하고 싶었던 겁니다."

장 "잘못 한 게 있으면 시정하고, 세금 낼 거 내면 되고, 그 과정에서 관계 법령 위반 문제도 다투는 거라고, 세무공무원 한두 사람이 눈 감아 주면 법령 위반이 치유되지 않는다고 그토록 얘기했을 때 왜 허대균을 따라 나간 건가요? 왜요?"

장태란은 지금 와서 아무 실익도 없는 원망을 이강재에게 쏟아붓고 있었다. 사실 이강재도 장태란도 이제는 2011년 초처럼 세금을 낼 돈도 없고, 급속도로 나빠지는 업황에 해운업 자체를 버틸 힘도 부족한 상태에서 그 힘겨운 경쟁에서 감당키 어려운 악재를 만나게 된 것을 알고 있었기 때문에 더 힘겨워하고 있었다.

그런데 어처구니없게도 그날 밤 이강재에게 법무법인 소속 허대균이

전화를 걸어왔다.

허 "이강재 대표님, 잘 지내셨는가요?"
이 "아뇨. 현재 잘 못 지내고 있습니다."

허대균은 그 사이 더 능글능글해져 있었다. 이강재는 너무 힘든 상황에서 허대균이 능글대는 태도에 화가 치밀어 올랐다.

허 "으음, 제가 오늘 들으니까 관세청에서 압수수색 당하셨다고요?"
이 "네, 그런데요."
허 "저희가 관세청 사건도 하고 그렇습니다. 이번에도 저희가…"
이 "뭐 이런 인간이 다 있어."

청년 사업가 이강재는 전화기를 덮으면서 자신의 잘못된 선택을 또 한번 후회하고 있었다.

'게임 속에 게임이 있었어. 세무조사나 압수수색을 당하는 것은 나인데, 나를 조력해 주겠다는 자들도 또다른 게임을 하고 있었던 거였어. 인간의 궁색한 처지를 이용해 돈을 버는 더러운 작자들.' 이강재는 치밀어 오르는 분노를 주체할 수 없었다.

원래 세상은 그리 만만한 곳이 아니다. "모든 사람을 잠시 속일 수는 있다. 몇몇 사람을 계속해서 속일 수도 있다. 그러나 모든 사람을 항상 속일 수는 없는 일이다."는 링컨의 명언처럼 그 역외탈세 사건이 이미 국가기관에 알려졌을 때 그때 바로 잡았어야 했다. 문제는 이강재가 제 때 제대로 일을 바로 잡지 못했다는 것일 뿐….

장태란이 나중에 안 사실이지만, 이런 국가기관 간 정보제보를 '이삭 줍기'라고도 한다.

2012년 4월에 나온 조사는 한참 이어졌다. 그 세관의 조사에 새로운 것이 있었던 것은 아니었지만 이미 해운업계에 소문이 쫙 돌면서 '무슨 잘못을 그리 했길래 1차, 2차로 압수수색을 당하냐'며 대휴마린 주식회사와 이강재를 헐뜯었고 회사의 이미지는 이미 끝장이 나고 있었다.

새로운 운송오더는 있을 수도 없었고, 해운업을 지속하기 위하여 경비를 지급할 때 그 부족한 현금을 메꾸기 위해 관련 업종의 관계자를 찾아가면 문전박대를 당하기 일쑤였다.

이강재, 이운재, 장태란, 오윤정, 아니 대휴마린 주식회사의 모든 임직원에게는 희망도 없이 하루하루가 죽어가고 있는 시간이었다.

게다가 2011년 말 대휴마린 주식회사의 자금부족으로 외부기관투자(Fund)를 받았는데, 외부투자자들이 투자사기에 해당하는 것이 아니냐며 이강재와 장태란을 압박하기 시작했다.

그리고 약 6개월 후 서울세관 외환조사과는 사건을 서울중앙지검 외사부에 '기소*'의견으로 송치했고, 그와 함께 외국환거래법 위반에 따른

거액의 과태료를 부과했다.

* 검사가 특정한 형사사건에 대하여 법원의 심판을 구하는 행위

　세관공무원 조남성은 앞으로 이어질 검찰수사와는 별개로 이 과태료
는 통고처분에 해당한다며 만일 납부하지 않고 불복할 경우 외국환거래
법 위반 고발이 별도로 이뤄질 거라는 이야기도 잊지 않았다.

　이강재는 일단 가지고 있던 모든 돈을 끌어모아 과태료를 납부했다.
그리고 얼마 뒤 검찰의 소환조사가 시작되었다.

- 박 "이강재 대표님, 인사나 하고 조사받으시죠? 저 박은경 검사라고
  합니다."
- 이 "네 검사님, 앞서 관세청이 조사하신 대로 제가 다 시인하고 제가
  할 수 있는 일이 있다면 다 하겠습니다. 선처해 주시면 감사하겠
  습니다."
- 박 "그런데 옆에 계신 분은 누구시죠?"
- 검 "아, 검사님, 제가 조서를 꾸며야 하는데 이게 좀 복잡한 거래가 많아
  서 대휴마린의 감사인 장태란 씨를 참고인으로 오라 했습니다."

검찰수사관이 거들었다.

- 박 "아, 장태란 씨? 그런데 혹시 장태란 씨도 이 사건과 연루되어 있
  나요?"
- 장 "안녕하세요. 저는 장태란 세무사입니다. 저는 이 건과 관련해서
  2010년 말 서울지방국세청 조사4국 조사 때 세무조사조력을 했
  던 세무사입니다. 이 사건에 대해서는 매우 잘 알고 있고, 2011년
  부터 이 회사의 감사로 재직 중입니다."
- 박 "세무사? 그럼 숫자에 밝으시겠네요. 앞으로 이강재 대표가 소환될

때 꼭 참고인으로 오세요. 안 그러면 이강재 대표가 힘들어집니다"

박은경 검사는 입가에 웃음을 지으면서 장태란을 바라보았다. 장태란도 박은경 검사를 보면서 반드시 억울한 부분은 밝히고 꼭 이강재를 구해내리라 홀로 다짐한다.

그렇게 해서 수차례에 걸친 소환이 이뤄졌고, 그 과정에서 두터운 조서가 만들어지고 있었다. 서울세관에서 조사된 방대한 양의 자료, 사실 서울지방국세청 조사 때 이미 다 시인한 내용이었고 기제출된 홍콩계좌 사본의 입출금 내역과 관련된 것이었지만 검찰 소환 때마다 진술서에 이강재가 사인을 하면서 외환거래와 관련한 각종의 죄를 확정해 가고 있는 중이었다.

장태란은 매번 소환될 때마다 되뇌였다. '지금 지옥을 걷고 있다면 계속해서 걸어가라.'

장태란은 세관 조사과정 당시, 뒤늦었지만 홍콩 페이퍼컴퍼니인 뷰티풀팰리스 유한공사가 소유한 대휴마린 주식회사의 지분을 무상으로 회사에 되돌려 놓았고, 검찰조사에서 페이퍼컴퍼니를 통해 이강재, 이운재가 100% 보유한 대휴마린의 주식지분을 실질적으로 늘린 것이 없다는

소명서를 변호사를 통해 추가 제출했다.

통상 악질적인 역외탈세는 일정 회사지분을 가진 사주社主 일가가 자신들 소유의 해외 페이퍼컴퍼니에 회사자금을 가공경비로 보내 비자금을 형성하고, 그 비자금으로 자신들의 회사에 해외투자를 유치한 것처럼 속여, 실질적인 소유지분을 늘린 뒤 주식처분이나 배당을 통해 자신들의 부富를 늘리는 수단으로 악용하는 것이다.

그렇게 또 4개월이 흘렀다. 박은경 검사가 이제는 검찰수사관 앞이 아닌 자신의 책상 앞으로 와 달라면서 이강재와 장태란을 자신 앞에 앉혀 놓는다.

박 "이강재 대표님, 그리고 장태란 세무사님, 내일이면 제가 법원에 기소를 합니다."

4개월여 조사기간 동안 조사된 두터운 조서를 앞에 놓고서 박은경 검사가 입을 떼었다.

이 "네…."

박 "제가 조서를 만들다 보니 법인세를 줄여보려고 해외로 돈을 보내신 것은 맞는데 이거 국세청에 걸려서 세금도 많이 내셨고, 여러 가지로 볼 때 국외재산도피나 범죄수익은닉 혐의는 없어 보여요. 다만 회사가 많이 망가졌는데 이 부분에 대한 책임은 있는 것 같습니다."

이 "네, 잘 알고 있습니다. 2011년에 추징세금을 낼 때는 회사에 돈도 많았고 저와 제 동생 외에는 주주도 없었는데, 회사가 어렵다보니 2012년에 금융기관으로부터 돈도 빌리고 우선주도 발행하고 하면서 외부투자자도 생기고 했습니다. 그런데 이제 제 과거의 잘

못된 행동으로 제 스스로가 이렇게 망가지다 보니, 회사도 많이 어렵고 해운업황 자체도 너무 어둡습니다."

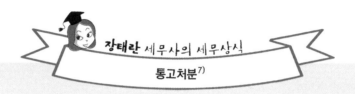 "그렇게 너무 걱정하지는 마세요. 마음 추스르시고 이 건 잘 마무리되면 사업 잘해서 세금도 많이 내시고 앞으로는 나쁜 짓 하시면 안됩니다."

장태란 세무사의 세무상식
통고처분[7]

범죄사실을 검찰에 고발하는 대신 과태료로 처분하는 제도를 통고처분이라고 한다. 이 통고처분은 형사범죄를 간단하고 신속하게 처리하여 국가 수입확보의 견지에서도 타당하고, 범칙자 측에서도 비용을 절약하고 업무상 신용을 손상시키지 않는 장점 때문에 존재한다. 이에 통고처분은 주로 조세범 · 출입국관리범 · 전매사범 등에 인정된다.

즉, 통고처분권자는 국세청장 · 지방국세청장 · 세무서장 · 관세청장 · 세관장 등이고, 통고처분의 내용은 조세범에 대하여는 벌금 또는 과료에 상당하는 금액, 몰수에 해당하는 물품 등을 납부할 것을 통고하는 것이며, 관세범에 대해서도 대체로 같다.

통고처분의 효과는 범칙자가 처분의 내용을 이행할 때 통고처분은 확정절차와 동일한 효력이 발생된다. 범칙자가 통고처분에 불복할 때에는 통고처분의 효력을 상실하고 당해 관청은 검찰에 범죄사실을 고발해야 하며 이로써 형사소송절차로 이행하게 된다.

---

7) 다음 백과(http://100.daum.net/encyclopedia/view/b22t3352a) 인용

역·탈

제 **17** 화

법정구속

2012년을 마무리하는 날에 장태란의 스마트폰에 황원오 변호사로부터 메일이 왔다는 메시지가 뜬다.

부랴부랴 메일을 확인해 보니 공소장 내용이다.

'사건번호 형제****호 수신 서울중앙지방법원… 피고 이강재… 죄명 특정경제범죄가중처벌등에관한법률위반(횡령) 구속여부 불구속'

결국 대휴마린 주식회사의 대표 이강재는 법의 심판대 위에 서게 되었다. 회삿돈을 허위사실에 기대어 해외로 빼돌린 것에 대한 단죄이다.

세금은 납부했고 세무공무원의 고발도 없었기 때문에 조세포탈은 걸리지 않았고, 해외에서 소비한 돈이 없어 국외재산도피죄나 범죄수익은닉죄로 기소되지 않은 것은 그나마 다행이었다.

그러나 회삿돈을 해외로 빼돌려 해외투자형식으로 다시 회사로 들여온 것은 횡령의 죄를 피할 길이 없었다. 그나마 불구속 상태로 재판을 받으니 엉망진창으로 망가진 대휴마린 주식회사를 살필 조그만 힘은 남겨 주었다.

장태란이 스마트폰을 보면서 망연자실 상념에 잠겨 있을 때 이강재 대표에게서 전화가 온다.

이 "장감사님, 지금 변호사로부터 공소장 메일이 왔습니다."

장 "저도 봤어요. 횡령의 죄목으로 재판을 받으시겠네요."

이 "그나마 불구속 상태로 재판을 받으니 다행입니다. 이렇게까지 되고 보니 회사가 너무 많이 망가졌네요. 저만 그런 건 아니고 해운업황 자체가 최악이다 보니 더 힘든데, 더 버틸 수 없을 지도 모르겠어요. 그래서…"

장 "그래서, 뭔가요?"

이 "이런 말씀 송구스럽지만 저를 한번 더 도와주세요. 법인회생에 대해서 알아봐 주실 수 있는지요?"

법인회생이란 기업이 사업을 계속할 가치는 있지만 부채를 감당할 수 없을 경우에 법원에 회생절차개시신청을 하고 법원이 이를 받아들이면 법원관리 하에 기업회생절차를 밟고, 채무자가 승인하는 회생계획안을 기초로 채무의 상당부분을 탕감해 주거나 주식으로 전환하는 방식으로 부채를 조정하여 기업을 살리는 절차를 말한다. 만일 이에 실패하게 되면 파산절차를 밟게 된다.

🅣 "네 그러죠. 저도 이 부분이 걱정되어 아는 변호사님과 법무사님을 통해 기업회생에 대해서 알아보고 있었던 차였습니다. 다만 저희를 믿고 투자해 준 채권자들에게 송구스럽네요. 기업회생절차에 들어가면 회사 재산의 관리는 법원으로 넘어가고 채권자들의 채권행사가 완전히 제약되거든요."

🅘 "저도 우리회사를 믿어준 성실한 펀드매니저와 공익펀드에 막대한 피해를 주는 것 같아 마음이 찢어집니다. 그렇지만 대휴마린이 파산해서 모든 사람들에게 피해를 주는 것보다 기업회생을 통해 일부라도 채무를 변제하는 것이 맞지 않을까 싶어요. 그리고 제가 기업회생절차는 잘 몰라도 법정관리인이 되거나 하는 욕심을 가지고 있지도 않습니다. 기업이 살아서 빚을 갚을 수만 있다면 다 내려 놓겠습니다."

이강재의 얘기에, 목소리에 진심이 담겨 있음을 장태란을 느끼고 있었다.

🅣 '심성은 참 착한 사람이지만…'
🅣 "알겠어요. 제가 할 수 있는 최선을 다할께요."

그 다음 날 2013년 새해가 밝았다. 그러나 이강재와 장태란은 서로의 방에 앉아서 쓸쓸하고 어두운 새해를 맞이하고 있었다.

검사가 불구속기소로 공소를 제기했기 때문에 황원오 변호사가 몇 차례 법원에 소명서류를 제출하는 것 외에 특별한 건 없었다. 그래서 그런지 점점 장태란과 이강재는 횡령죄로 법원에서 재판을 받고 있다는 사실도 잊어가고 있었다.

게다가 황원오 변호사가 집행유예 가능성이 높으니 크게 염려말고 회사 일에 전념하라고 위로를 해 준 덕분에 회사만 잘되도록 해보자며 나름의 최선을 다하고 있었다.

이강재가 검토해 보자는 기업회생을 장태란이 백방으로 알아보는 것 외에, 채권자들에게는 기업회생을 차마 입에 담기도 쉽지 않아 되는대로 최선을 다해 밀린 대금과 이자를 주는 일에 모든 힘을 쏟고 있었다. 그 것도 벅찬 시간이었다.

1심 선고기일이 4월 7일로 잡혔다. 시간은 너무도 빨리 흐르고 있었고 어느덧 그 날이 되었다. 장태란과 이강재는 불안한 마음에 전날 잠도 제대로 못자고 법원으로 향했다.

법원에 주차를 하고 걸어가는 동안 변호사, 장태란, 이강재는 아무런 말도 하지 않았다. 이강재는 멋쩍은지 코트 깃을 세우고 서울중앙지방법원 재판정이 있는 복도로 들어섰다.

장태란이 웬일일까? 앞으로 일어날 일을 알기라도 했던 걸까? 갑자기 이강재 옆으로 다가가 손을 잡아주었다. 이강재도 장태란의 두 손을 꼭 잡고 한참을 서로의 눈을 바라보고 있었다. 가슴 속에서 뜨거운 무언가가 흘러내리고 있는 듯 이강재는 뜨거운 침을 삼키고 뒤를 돌아 재판정으로 들어갔다.

이강재를 아는 몇몇 사람들이 재판정으로 속속 들어왔고, 모두가 좌정한 뒤에 판사가 들어왔다. 이윽고 판사가 선고를 한다.

🅟 "피고인을 징역 1년 6개월에 처한다. 피고는…"

재판관은 주문을 읽고 이유를 낭독했지만, 그렇게 기다리던 집행유예

에 대한 이야기는 끝내 없다. '이건 아닌데. 이건 아닌데…' 장태란도 이
강재도 사색이 되어 있었고, 현기증이 계속 되어 머릿속이 점점 희미해
져 갔다.

결국 이강재는 법정구속이 되었고 서울구치소에 수감되었다. 장태란
은 영혼이 탈출한 듯, 멍하니 법정 밖 대기의자에 앉아 있었다. 얼마나
시간이 지났을까? 황원오 변호사가 다가와 묻는다.

黃 "감사님, 괜찮으세요?"

여러 가지 정상 참작이 될 사안도 있지만 현재 피해자 회사인 대휴마
린 주식회사의 재무상태가 너무 좋지 않고 이는 이강재의 횡령과 무관
하다 할 수 없는 바, 회사에 대해 이강재가 추가적인 변제의 노력을 해
야 한다는 취지에서 법정구속한 것이라고 황원오 변호사가 말을 꺼내면
서 변명반 아쉬움반 이야기를 한다.

張 "변호사님, 이제 우리는 어쩌나요?"

黃 "감사님, 2심 때는 집행유예로 나올 수 있게 해야될 테지만, 일단
1심 선고 때와는 다르게 뭔가 구체적인 액션을 취해야 돼요."

張 "어떤 구체적인 액션이요?"

🅗 "피해자 회사에, 대휴마린 주식회사의 피해를 변제하는 노력을 보이셔야…"

장태란은 황원오 변호사의 얘기에 잠시 생각에 잠긴 후 이운재 부장에게 전화를 걸어 이강재 대표의 법정구속 소식을 전한다.

🅘 "감사님, 이제 우린 어쩌죠? 이제 끝인가요?"

🅙 "저도 지금 정신이 없습니다. 일단 오늘은 마음을 수습하고 내일 얘기하시지요."

장태란은 전화를 끊고 제일 먼저 이 사건을 채권자들에게 알리는 것이 채무자로서의 최소한의 도리다 싶었다. 장태란 감사는 집으로 가지 않고 대휴마린 주식회사로 갔다.

즉시 주요 채권자 모임에 관한 공문을 작성하여 채권기업의 담당자에게 보냈다. 그리고 몇 시간도 되지 않아 여기저기서 전화가 빗발처럼 오기 시작한다.

"이강재 사장, 법정구속되었다면서… 이제 어떻게 되는 겁니까?"

그러나 그 수많은 전화에 뾰족이 답할 만한 사정도 위치도 되지 않는다. 장태란은 다음 날 대휴마린 주식회사 회의실에서 열린 채권자 모임에서도 현재까지의 상황을 전하는 것 외에 아무 것도 할 수 없었다.

🅙 '이제 이강재 대표에게 위임을 받아 기업회생에 들어가는 수밖에는 없겠지.'

장태란은 서울구치소로 향했다. 면회를 신청하고 몇십 분 기다렸을까? 처음 들어와 본 구치소 면회실 정문에 줄을 선다.

앞선 면회 조가 나오는데 어떤 이는 연신 눈물을 훔치며 나오기도 하고, 어떤 이는 아직은 쌀쌀한 날씨에 팔뚝에 새긴 문신을 자랑하듯 보이며 나오기도 한다.

"4월 10일 오전 11시, 5회차 면회조 입장합니다."

장태란은 떨리는 마음으로 구치소 면회실 문을 연다. 1평 정도 되는 공간의 조그만 의자에 앉는다. 이내 초록색 수의를 입은 이강재가 투명 유리막 앞쪽으로 나타난다.

장 "대표님, 괜찮으세요?"
이 "저는 괜찮아요. 그런데 회사는 어떤가요?"

장태란은 투명 유리막 사이로 스피커폰에 대고 이강재에게 회사의 현재 자금사정, 3달치 수입과 지출예산, 그리고 더 이상 회사를 운영할 상황이 안된다고 전했다.

이 "그럼 이제 어쩌죠. 이대로 회사도 죽고. 채권자 피해를 줄일 수는 없나요?"

먹먹하게 스피커폰으로 들리는 말은 바로 투명 유리막 앞에 있는 사람이 마치 저 먼 나라에 있는 사람인 양 낯설고 외롭게 만든다.

장 "기업회생절차개시신청을 넣어볼께요. 다음에는 황원오 변호사와 같이 올테니까 위임장에 사인해 주세요. 회생계획안에 대하여는 더 고민해야 할 것 같지만요."
이 "그 외에 제가 도울 일은 없나요?"

오히려 이강재는 모든 것을 내려놓은 사람처럼 담담해 보였다.

장 "회생에 대해 알아보니 회생절차개시신청하면 회사의 자산은 동결되어 채권자들이 어쩌지는 못하지만, 회생절차이행에 따른 예치금도 필요하고 법무비용도 만만치 않을 것 같아요."

이 "음, 저 1심 선고 때 회사에 피해변제를 게을리 했다고 선고이유를 들은 것 같아요. 다음에 오실 때 이 친구도 데리고 오세요. 제가 아는 보험설계사인데 제 개인보험 몇 개를 해약해서 회사의 손해배상금으로 받아가세요. 그리고 기업회생절차 이행해 주세요."

면회시간이 종료되는 벨이 울린다. 돌아서는 이강재의 뒷모습이 쓸쓸했다. 장태란은 터벅터벅 구치소에서 나와 길게 난 구치소 밖 구부러진 길을 걷는다. 그러다 무슨 생각이나 난듯 전화를 꺼내서 변호사에게 준비했던 기업회생절차개시신청을 의뢰한다.

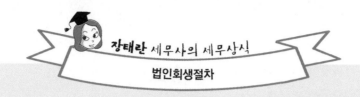

법인회생이란 기업이 사업을 계속할 가치는 있지만 부채를 감당할 수 없을 경우에 법원에 회생절차개시신청을 하고 법원이 이를 받아들이면 법원 관리 하에 기업회생절차를 밟고, 채무자가 승인하는 회생계획안을 기초로 채무의 상당부분을 탕감해 주거나 주식으로 전환하는 방식으로 부채를 조정하여 기업을 살리는 절차를 말한다. 만일 이에 실패하게 되면 파산절차를 밟게 된다.

우선 회생절차개시신청을 이유서와 더불어 법원에 접수하면, 조사위원에 대한 보수를 예납할 것으로 법원이 명령한다. 그리고 대표자 심문을 하고 회사재산보전을 위하여 포괄적 금지명령을 한 후 회생개시결정을 하게 된다. 이때 법정관리인이 선임되고 조사위원이 되는 회계법인도 선정된다.

채권자 확정을 위한 채권자 목록을 작성하고 채권액을 분류하는 작업을 하며, 조사위원인 회계법인은 실사를 통해 회사의 계속기업의 가치와 청산가치를 평가한다.

회사와 채권자가 합의할 만한 회생계획안 초안을 만들어 관계인 집회를 열고 회생계획안을 채권자 찬성을 통해 확정한다.

이렇게 회생계획안이 인가결정되면 회생계획안에 따라 회생계획이 진행되고, 회생계획안에 따른 채무변제가 완료되면 회생절차 종결이 선언된다.

역·탈

제 **18** 화

탈세제보

대휴마린 주식회사는 법원에 회생절차개시신청을 넣었고, 이후 서울중앙지방법원의 회생전담판사의 지시에 따라 회생관련 절차를 이행했다.

그러나 M&A를 통한 회생, 즉 대휴마린의 새로운 주인이 나타나 M&A로 대휴마린을 사고, 그 회사매입대금으로 법원이 감액해 준 부채를 갚는 것 외에 뚜렷한 회생계획안은 있을 수 없었다.

장태란은 백방으로 M&A를 통한 회생을 알아봤지만 쉽지 않았다. 채권자들도 담보가 있는 채권자 중심으로 기업회생절차에 반대하면서 기업회생절차를 통해 재기할 희망은 점점 사그라졌다.

그해 7월, 이미 대휴마린 주식회사의 기업회생은 지지부진했고 무척더웠던 2013년 7월, 여름 무더위가 한창일 때 서울고등법원 재판정에서는 대휴마린 이강재 대표에게 징역 1년 6개월에 집행유예 3년을 선고한다는 판결이 나온다.

장태란은 판결 후 두어 시간 뒤 사복을 갈아입고 법원에서 나오는 이강재에게 두부 한모를 건넨다. 그리고 이강재는 그걸 묵묵하게 받아서 입에 넣고 씹는다.

㉛ "왜 감옥 갔다온 사람에게 두부를 먹이는 줄 아세요?"

㉠ "아뇨."

㉛ "감옥 가면 흔히 '콩밥 먹는다'고 하잖아요. 그래서 출소하면 두부를 먹이는데 콩을 갈아서 만든 게 두부니까 다시는 콩으로 돌아가지 말라고, 다시는 옥살이 하지 말라고 하는 거래요."

이 날이 기쁜 날인지 슬픈 날인지 모르겠지만, 장태란은 그저 이강재가 다시 사회의 품으로 돌아온 것이 좋았다.

㉠ "아 그렇군요. 그럼 그건 아세요?"

㉛ "뭐요?"

㉠ "감옥이라고 불리는 교도소와 구치소의 차이요?"

㉛ "아뇨? 다 같은거 아닌가?"

㉠ "다르데요. 교도소는 죄가 인정된 자들이 가는 곳이고, 구치소는 재판 진행 중인 자들이 가는 곳이래요. 어쨌건 다시는 가고 싶지 않네요. 그런데 여전히 대휴마린의 회생절차는 진척이 없죠?"

㉛ "아무래도 파산절차로 가게 될 것 같아요. 그러면 이강재 대표님에게 연대보증건으로 각종 채권자의 청구가 들어올텐데, 개인파산 절차도 같이 진행하셔야 될 것 같아요."

㉠ "채권자들에게 피해만 주고 파산이라니요. 여태 태란 씨에게 못난

꼴만 보이네요. 이제 남은 것이 아무 것도 없는 제게 희망이 있을까요?"

장 "……"

'제가 힘껏 곁에서 도울께요.'라는 말이 목구멍까지 올라왔지만 뜨거운 침을 삼킬 뿐 장태란은 아무 얘기도 하지 않았다.

그것이 이강재와의 마지막일 줄 몰랐다. 집행유예로 풀려난 지 이틀쯤 돼서 장태란에게 한 통의 문자가 왔다.

'그동안 너무 고생시켜드려 죄송합니다. 끝까지 비겁한 모습 보여서 죄송합니다. 저 미국으로 들어가서 뭐라도 해야지, 지금 이 상태로는 아무 것도 할 수가 없습니다. 연인이 되길 바랐지만 제가 못나서 돌아섭니다. 태란 씨는 정말 제겐 아까운 사람입니다.'

2013년 7월의 여름을 태란은 오랫동안 잊지 못했다. 그것이 대휴마린의 이강재를 기억하는 마지막이 되었다.

이후 채권자들은 난리가 났지만 어차피 기업회생절차를 통해 회생하는데 동의하지도 않던 터라 법인파산절차가 진행되었고, 지지부진한 이 파산의 절차가 파산관재인에게 넘어간 뒤로 장태란이 나설 일은 더 이

상 없었다. 그리고 4년이 지났다.

"우웅…우웅…"

(장) '또 홍학익 회장 전화구만. 얼마 전 관세청 조사는 잘 끝났고 벌금 좀 내고 세금 좀 내고 끝냈다더니 자꾸 전화시네. 정들겠어.'

(장) "네, 장태란입니다."

(홍) "세무사님. 그런데 제가 큰 일이 났습니다. 얼마 전 말씀드린 것처럼 해외로 돌린 비자금에 대해 법인세 수정신고도 하고 그랬는데 서울청 국제거래조사과에서 영치세무조사가 나왔네요."

(장) "거 참 신기한 일이네요. 왜 거기서 나왔다던가요?"

(홍) "투서가 들어왔데요. 관세청에 조사된 거 자료요청하고 있는데, 그거 말고 다른 내용으로 투서가 들어왔다고요."

(장) "포상금을 노리는 세파라치가 있긴 하죠. 그런데 투서라면 통상 내부자가 한 것일 텐데요."

(홍) "이상한 건 김장우 부장 이놈이 이번 주 내내 출근을 안해요. 전화도 안받고."

(장) "왜요? 이부장이 투서한 거 같나요?"

(홍) "걸리는 게 있는데 일단 만나서 얘기하시죠. 제가 지금 세무사님 사무실로 가도 되겠습니까?"

투서, 세금에 관한 투서를 '탈세제보'라고 한다. 탈세제보는 제보자의 인적사항을 실명 또는 익명으로 특정한 개인이나 법인의 구체적인 탈세 사실과 이를 뒷받침할 수 있는 서류를 첨부하여 국세청에 서면 또는 인터넷 등으로 제출하는 것을 말한다.

실명으로 하는 경우 탈세포상금을 받을 수 있다. 탈루세액 대비 5~20%를 지급하는데 최대 40억 원까지 포상금이 지급될 수 있다.

홍회장은 뭐가 그리 급했는지 전화를 끊은 지 얼마 되지도 않아 모랄 티움 주식회사와 꽤 먼 거리에 있는 장태란 세무사 사무소에 불쑥 들어 온다.

🅐 "회장님, 이리 빨리 오실 줄 몰랐습니다."

🅗 "아휴, 제가 이것저것 신경 쓸 상황이 아닙니다. 늑대를 피하니 호 랑이를 만난다고 관세청 조사로 이것저것 다 들춰지고 벌금 내고 과태료 내고 그랬더니 국세청에서 나왔네요. 거참."

🅐 "서울지방국세청 국제거래조사국에서 나왔다고 하셨죠?"

🅗 "그래요. 그래."

홍회장은 급히 와서 그런지 연신 땀을 훔치고 있었다. 그런데 장태란 은 홍회장의 그 땀이 식은 땀일지도 모르겠다고 생각하고 있었다.

🅐 "투서로 나왔다고도 하셨는데, 대충 무슨 얘긴가요?"

🅗 "아무래도 제가 직접 찾아온 이유가 김장우 그놈이 걸려서요. 관세 청 조사받는 과정에서 장태란 세무사님과 소개시켜 주신 황원오 변호사님이 시키는 대로 착착 하고 있었는데, 자꾸 자기가 정리할

수 있는게 있으니 돈을 집어달라고 하더라구요."

(장) "그래요?"

(홍) "그런데 조사 때 고생하니까 다 때가 되면 얘기하자 하고 미루다가 관세청 조사, 검찰 조사가 괜찮게 흘러가는데도 자꾸 그러니까 제가 무슨 말같지도 않은 얘기냐고 면박을 줬어요. 그리고 갑자기 아침에 서울지방국세청 국제거래조사국에서 영치세무조사가 나왔는데, 장우 그놈은 이번 주 내내 연락도 없이 결근이네요."

(장) "뭐 딱 김장우 부장이 탈세제보한 거 같은데요. 그런데 법인세 수정신고하시고 그러겠다고 안했나요? 저한테 그러셨는데."

(홍) "그럼요, 그럼요. 했지요. 세금 낼거는 다 냈다고 봤는데…"

(장) "회장님, 그럼 뭐 걸리시는 것이 있나요?"

(홍) "아 그게, 그게 하나…"

홍회장은 바로 말을 이어가지 못했다. 한참을 생각하더니 이윽고 어렵게 입을 뗀다.

(홍) "제가 걸리는 게 뭐냐면요, 일종의 수수료 같은 건데. 일단 그것이 아니면 제가 꿀릴 것도 없긴 합니다만."

(장) "제게 말씀하시기 곤란하시면 안하셔도 됩니다. 어차피 탈세제보가 그 건에 의한 거면 나중에 다 알게 되어 있고, 안다고 막을 수 있는 것도 아니예요. 말 그대로 제보는요, 아무래도 탈세제보 포상금 받으려고 하는 건데요. 그렇게 받으려면 제보자의 인적사항을 실명으로 하고 매우 구체적인 탈세 사실과 이를 뒷받침할 수 있는 증거를 국세청에 제출한 거예요. 우리끼리 뭐 빼고 자시고 할 만한 것이 없어요."

(홍) "그럼 얼마나 받길래 회사 식구끼리 탈세제보를 합니까?"

🧑‍💼 "그게 탈루세액 대비 5~20% 사이인데 최대 40억 원까지 받아요. 이게 공무원이 직무와 관련해서 자료를 제공하는 경우나, 자료 제출 당시 이미 조사진행 중인 건은 포상금 대상이 아니거든요. 김장우 부장이 이 제도를 안다면 관세청에서 이미 조사한 건으로 제보를 하지는 않았을 거고요, 다른 명백한 탈세제보가 있었다는 겁니다."

🧑 "아 글마, 섭섭한 게 있으면 나에게 말을 해야지, 이게 뭐고. 암튼 제가 여행용 가방 만드는 건 아시죠?"

🧑‍💼 "그럼요. 너무 잘 알죠."

🧑 "수출오더를 외국 바이어에게 받는데, 이 바이어를 잘 관리해야 제가 돈을 벌어요. 그러다 보니, 가방제작비로 중국에 보내는 돈, 그러니까 가방을 만드는데는 공임(CMT)과 재료(원부자재)에 외국 바이어 커미션이 보태 들어가고, 이걸 제가 따로 홍콩에 있는 개인 계좌로 받거든요."

🧑‍💼 "일전에는 제게 가방제작비를 부풀려서 홍콩 페이퍼컴퍼니에 수출 대금의 5% 가량을 더 보내다 보니, 그 5%가 홍콩 계좌에 쌓이고

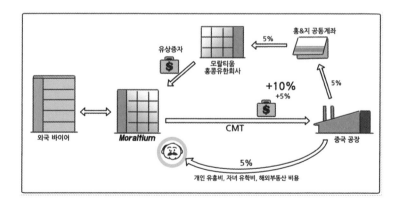

그 돈을 홍&지 공동계좌로 보냈다가 모랄티움 주식회사에 외국인 주식투자 형태로 다시 들여온 거라면서요."

홍 "그건 그게 맞고 이번에 관세청 조사 때 다 소명하고 외국투자주식도 다 소각해 버리고 그런 거고, 그거 말고 그 홍콩 홍&지 계좌 말고, 그 외 5%를 제 개인계좌로 따로 받아서 외국인 바이어 접대하고 그런데다 썼거든요."

장 '어이쿠, 그럼 가공경비가 수출대금의 5%가 아니라 10% 였구만.'

장 "외국 바이어 접대하는 거는 정식으로 커미션 계약하고 송금하면 아무런 문제가 없을텐데요."

홍 "그게 법으로야 그렇겠지만 홍콩에 있는 수입업체 총괄사장들도 다 비자금을 원해서 정식 커미션 계약 같은 건 할 수도 없잖아요."

장 "어쨌든 그럼 김장우 부장이 그걸 다 안다는 거네요."

홍 "그렇지. 돈을 다루는 김장우한테는 알려줬지. 이렇게 나올 줄은 몰랐네. 내가 때때로 다 챙겨주고 그랬구만."

장 '홍학익 회장은 위험한 사람이구만.'

장태란은 '모랄티움 주식회사도 쉽지 않겠구나'라는 생각이 들었다.

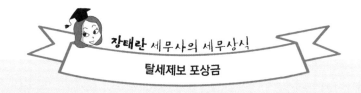

탈세제보는 제보자의 인적사항을 실명 또는 익명으로 특정한 개인이나 법인의 구체적인 탈세 사실과 이를 뒷받침할 수 있는 서류를 첨부하여 국세청에 서면 또는 인터넷 등으로 제출하는 것을 말한다.

실명으로 하는 경우 탈세포상금을 받을 수 있다. 탈루세액 대비 다음과 같이 5~20%를 지급하는데 최대 40억 원까지 포상금이 지급될 수 있다.

이러한 탈세제보는 다음과 같은 유형이 있다[8].

- (조세탈루·부당환급) 이중장부 작성, 차명계좌 사용 등의 방법으로 실제 매출금액을 축소하거나 가공의 인건비를 계상하는 방법 등으로 소득금액을 축소하여 조세를 탈루하거나 부당하게 환급·공제받는 행위

- (체납자 은닉재산) 체납된 세금의 추징(체납처분)을 고의적으로 회피하고자 친인척 또는 제3자 명의 등으로 체납자의 재산을 은닉하는 행위

- (신용카드 결제거부) 신용카드 가맹점이 재화 또는 용역을 공급하고 소비자가 신용카드 결제를 요구하였으나 이를 거부하는 행위

- (신용카드 위장가맹) 소비자가 실제 이용한 신용카드 가맹점의 상호 및 주소 등이 신용카드 매출전표에 다르게 기재되도록 위장가맹하는 행위

- (현금영수증 발급의무 위반) 현금영수증 가맹점에서 소비자가 현금영수증 발급을 요구하였으나 이를 발급거부하는 행위 또는 재화나 용역의 대가를 사실과 다르게 기재하여 발급하는 행위

---

8) 이하 국세청 홈페이지 탈세제보란 인용

* 전문직 등 의무발행 업종 사업자는 소비자가 발급요구하지 않을 때에도 10만 원 이상 현금거래시에는 발급의무 있음(미발급시 신고대상)

- (타인명의 사업장) 조세 회피 목적으로 타인의 명의를 사용하여 사업자 등록한 행위

- (해외금융계좌 신고의무 위반) 해외 금융계좌 신고의무자임에도 신고대상 금융계좌를 신고하지 않거나 사실과 다르게 신고하는 행위

- (사업자 차명계좌 사용) 사업자 명의 외 타인 명의의 금융계좌를 활용한 현금수입 탈루 행위

제 **19** 화

은밀한 제안

모랄티움 주식회사의 탈세제보 조사는 생각보다 강력했다.

모랄티움 주식회사는 관세청 외환조사과에서 압수수색할 당시 디지털 포렌식(컴퓨터 등 디지털 기록매체에 있는 전자정보 중에서 디지털 증거를 수집하고 분석해 문서화하는 수사 과정)에 의해 데이터베이스(DB)를 모두 털린 사실이 있기 때문에 모든 임직원의 컴퓨터를 새것으로 교체하고, 이메일도 회사 메일이 아닌 공용메일을 사용권장하고 있었지만 김장우 부장이 제출했을 것으로 짐작되는 비밀자료에 홍학익 회장은 속수무책으로 당하고 있었다.

🔴 "내일 오전에 서울청 국제거래조사국에서 들어오라네요. 확인서 받아야 한다고 하면서⋯ 염치 없지만 같이 가 줄 수 있겠습니까?"

홍학익 회장은 장태란에게 전화를 걸어 동행을 청했다.

🅟 "제가 같이 가드리는 건 문제가 없는데, 제가 별로 할 일이 없을 것 같아요."

장태란 세무사가 파악한 바로는 모랄티엄 주식회사가 가방제작비를 부풀려 홍콩으로 송금한 뒤, 홍학익 회장 개인명의 홍콩계좌로 이체한 돈, 수출대금의 5% 정도가 실제 외국인 바이어 접대로 들어가기 보다는 그간 개인유흥비, 자녀유학비, 해외부동산 구입 등으로 지출되었음이 이미 서울청에서 증거확보가 끝난 상황이라는 것이었다.

🅟 '투서가 감사실에 디테일하게 들어가서 조사가 내려왔는데 그걸 어떻게 막나? 이것이 반면교사가 되도록 서울청에서 탈탈 털 생각인 것 같은데…'

사실 관세청 외환조사과는 더 당황한 것 같았다. 홍학익 회장이 따로 개인적으로 빼돌린 돈은 찾지 못하고 그저 법인세를 줄이기 위해 빼돌린 별도의 돈, 수출대금의 5% 정도가 모랄티움 주식회사에 외국인 주식투자 형태로 들여온 것만 조사된 것이 검찰 수사단계에서 문제가 될 형국이었으니 말이다.

서울청 국제거래조사국에서 검찰에 조세포탈로 모랄티움 주식회사와 홍학익 회장을 고발하면, 이미 검찰 외사부에서 조사한 내용이 미흡했음이 곧 들어날 것이었기 때문이다.

그러다보니 벌금 조금 내는 것으로 마무리하려던 관세청의 분위기가 완전히 반전되었다.

🔵홍 "장태란 세무사님, 국세청도 국세청이지만 검찰이 저를 특정경제
가중처벌법상의 횡령 및 국외재산도피죄, 범죄수익은닉죄로 기소
하겠다고 합니다. 이제 저는 어떻게 합니까?"

장태란은 홍학익 회장이 어떻게 해 볼 수 없는 상황이란 것을 직감적
으로 알고 있었다. 그리고 얼마 후 검찰조사과정에서 홍학익 회장은 구
속수사로 전환이 되었다. 해외도피가 우려된다는 것이었다.

얼마 뒤, 김장우 부장으로부터 한 통의 전화가 왔다. '왠일이지?'

🔵김 "장태란 세무사님, 저 김장우 부장입니다. 잘 지내셨는지요?"
🔵장 "네, 부장님은 그간 별고 없으셨구요?"

장태란은 모랄티움 주식회사와 홍학익 회장을 한방에 보낸 김장우 부
장으로부터 전화가 온 것이 신기하기까지 했다.

🔵김 "다름이 아니고요, 지금 시간 있으시면 제가 세무사님 사무실로 찾
아뵙겠습니다."
🔵장 "그러세요."

얼마되지 않아 김장우 부장이 진한 담배냄새를 풍기면서 장태란의 사무실로 들어왔다.

㉠ "안녕하셨어요?"

㉡ "네, 이렇게 뵈니 또 달라보입니다."

업무로 만날 때는 매번 양복입은 모습만 봤는데, 지금은 며칠 입은 듯한 점퍼에 지저분한 청바지 차림이었으니 말이다.

㉠ "뭐… 음… 세무사님도 다 아시잖아요. 제 얘기요. 말 돌려서 이야기 드리는 것도 그렇고 제가 찾아온 이유를 말씀드릴께요."

㉡ "네, 그러세요."

㉠ "홍학익 회장이 장태란 세무사님을 많이 믿잖아요. 아니 여태껏 역외탈세 경험으로 이런 저런 자문을 많이 받으신 것으로 아는데요."

㉡ "그런데요?"

㉠ "홍학익 회장이 회삿돈 빼돌려서 쓰고 이제 뭐 회사는 세금추징과 벌금, 과태료 해서 자금 사정이 말이 아니에요. 게다가 이 바닥에 탈세 소문이 다 나서 수출오더도 떨어지고 우리 회사의 인도네시아 공장은 문을 닫은 상태입니다."

㉡ "그래서요?"

㉠ "홍학익 회장에게 모랄티움 주식회사의 본인 지분을 전부 포기하고 대표이사직을 다른 사람에게 넘길 수 있는지 설득해 주실 수 있나요? 그러면 변호사 비용하고 얼마의 사업재기자금은 따로 챙겨드릴 수도 있는데…"

㉡ "왜 제가 그런 일을 해야 하죠?"

㉠ "그냥 이렇게 손만 놓고 있으면 파산이나 법정관리 들어갈 텐데,

이 회사를 다른 사람들이 와서 좌지우지하는 것보다는 지용만 전무를 중심으로 다시 재건해 볼까 싶어서요."

김장우 부장은 장태란 세무사를 통해 홍학익 회장이 가진 모랄티움 주식회사의 지분을 노리고 있었다. 그런데 그가 노리는 것이 아니라 지용만 전문가 노리고 있는 것으로 보였다.

장 '지용만?'

장 "아, 지용만 전무요?"

김 "회사가 이렇게 망가진 건 홍학익 회장이 매출의 10%나 되는 돈을 홍콩으로 빼돌려서 자기 마음대로 쓰고, 회사의 미래를 돌보지 않은 까닭입니다. 지용만 전무는 매번 그러지 말라고 홍학익 회장과 맞서곤 했는데, 결국 이제와서 관세청과 국세청이 바로 잡아준 겁니다."

그러면 김장우와 지용만은 회사의 탈세를 바로 잡기 위해 국세청과 관세청이 나와주기라도 바랐다는 것일까? 장태란은 어쩌면 썩은 회사에는 그것이 약일지도 모르겠다는 생각이 잠시 들었다.

장 "뭐 제가 알고 있기로는 김장우 부장께서 큰 역할을 하셨던데요. 그것도 정의감에 의한 행동이었나요?"

홍회장에게 회사의 본인 지분을 포기하고 대표이사직을 넘기라고 설득을 좀 해주시죠. 지전무를 중심으로 회사를 재건해볼까 합니다.

㈜ "솔직히 말씀드리면, 그 탈세제보 DB는 상당량이 지용만 전무가 확보해 준 거였습니다. 처음 회사를 시작할 때는 순수하게 의기 투합했는데 수출매출이 오르고, 인도네시아 공장이 조금 자리잡기 시작하면서 홍학익 회장이 변하더라구요."

㈜ "그럼 홍학익 회장하고, 지용만 전무, 김장우 부장이 같이 사업을 시작한 거였나요?"

㈜ "맞아요. 저는 회계쪽으로 하고 지용만 전무를 개발쪽으로, 홍학익 회장은 영업쪽으로 시작해서 가방회사를 창업했어요. 그러다가 자꾸 이상한 명분을 들면서 홍콩으로 돈을 빼돌리고, 외국인투자를 받으면 상장하기도 좋다면서 빼돌린 돈으로 회사주식을 샀죠. 세금 안내고 해외로 나간 돈, 그나마 다시 한국으로 들어오니 좋긴 했는데 증자를 하면서 외국인 투자컨설팅 명목으로 또 수억 원을 빼 쓰더라구요. 게다가 개인유흥비, 자녀유학비 등으로 따로 빼돌린 돈은 나랑 자기만 아는 비밀처럼 얘기하면서 푼돈 챙겨주고 잔심부름 시켰지만 지용만 전무는 이미 다 알고 있더라구요."

㈜ '어허, 이 사람들, 재미있네.'

㈜ "그러니까 홍학익 회장이 회사를 망가뜨리는데 일등공신이니, 이쯤해서 뒤로 빠지고 지용만 전무를 대표이사로 해서 회사회생을 도모하시겠다는 뜻인가요?"

㈜ "네. 그렇게 해야 홍학익 회장도 살고 우리도 삽니다."

㈜ "회사회생은 어떻게 하실건데요?"

㈜ "막장까지 가면 법정관리신청하겠지만, 지금 홍학익 회장만 빠지면 전략적 투자자 SI를 수배해 보려구요"

㈜ 'SI(Strategic Investors), 전략적 투자자를 모아보시겠다? 이미 짜고 치는 고스톱 느낌인데.'

㉞ "그럼 저는 홍학익 회장한테 그 얘기를 해주고 무슨 대가가 있는 거죠?"

㉠ "장세무사님을 우리 회사 내부감사로 모시고, 상근이사에 준해서 대우하겠습니다."

장태란은 문득 수년 전 대휴마린이 파산에 이르렀던 생각이 떠올랐다. 사람이 아닌, 시스템으로 움직이는 회사를 만들지 못하면 대표이사의 구속 하나만으로도 회사는 나락으로 떨어지는 것이었고, 대표이사가 구속된 후에는 누구도 회사의 주인이 되어 뒷감당을 해 주지 않는다는 걸 잘 알고 있었다. 그런데 모랄티움은 지용만 전무가 나서고 있었다. 그것이 어떤 의도인가를 떠나서.

㉞ "그나마 낫네요. 홍학익 회장을 몰아내기 위해 투서를 했다고도 생각이 되긴 하지만 어쨌거나, 구속된 홍학익 회장에게 재판에서도 큰 비전이 보이지도 않고, 해외로 빼돌려서 소비한 재산도 많아서, 그 금액 그대로 추징되는 돈도 수십억 원에 달할 듯 해요. 어쨌거나 변호사 비용하고, 사업재기자금을 보장한다는 확약을 해 주시면 홍학익 회장에게 가서 지분포기와 대표이사 사임을 얘기해 보죠."

㉠ "네네, 감사합니다."

㉞ "이 제안도 지용만 전무가 시킨거죠?"

㉠ "실은 그렇습니다."

㉞ "저도 회사가 살아 남는 게 중요한 거라 생각해요. 하지만 제가 이런 거 해 주고 임원이 되고 싶은 생각은 추호도 없고, 특히 지용만 전무와 저는 전 스타일이 안맞는 거 같아요."

㉠ "그럼 저희가 별도로 사례라도 하겠습니다."

장 "돈받을 일이 생기면 시켜주세요. 이런 걸 돈주고 시키지 말구요. 대신 홍학익 회장의 연대보증과 세금추징건도 회사에서 책임져 주세요. 오케이?"

김 "네, 지용만 전무님께 그리 전하겠습니다."

다음 날 오전 장태란은 수년 만에 다시 서울구치소로 면회를 갔다. 이강재 대표가 법정구속되고 수감되었던 그곳으로 홍학익 회장을 만나기 위해서였다.

장태란 세무사의 세무상식

SI(Strategic Investors)

전략적 투자자(SI, Strategic Investors)란 기업인수 또는 합병에 참여하는 외부투자자 중 투자이득뿐만 아니라 투자회사의 영업 활성화나 기업 가치의 제고 등 경영에 참여하고자 하는 투자자를 말한다. 오히려 투자이득보다는 그 기업자체를 확보할 목적의 투자로 보면 무방하다.

2004년 10월 중국 상하이자동차가 쌍용자동차 지분 48.9%를 채권단으로부터 주당 1만 원(총매각대금 5억 달러)에 인수한 사례가 대표적인 전략적 투자의 예이다. 이후 상하이자동차는 쌍용차의 보유 기술을 모두 흡수한 바 있다.

역·탈

제 **20** 화

지분포기각서

장태란은 수년 만에 다시 서울구치소를 찾았다.

면회신청을 하고, 이윽고 초록색 수의를 입고 있는 홍학익 회장을 보
니 측은함이 느껴졌다.

장 "어떠세요? 건강은 괜찮으세요?"

홍 "잠이 잘 안와요. 생각도 많이 지고, 원망도 많아지고. 친구와 후
배, 형제 같던 얘들이 모두 내 등에 칼을 꽂는 짐승 같다는 생각
에 우울증도 오고. 오신 김에 그간 우울증 약 먹는게 있었는데
제 비서에게 좀 가져다 줬음한다고 전해 주세요."

장 "반입이 되는지는 잘 모르겠지만, 변호사를 통해 알아볼께요."

홍 "장태란 세무사님, 관세청 압수수색 나왔을 때 도움받고 그때 모두

털어놓지 않은 것이 후회됩니다. 김장우 그놈을 통해서 다 들통 나고 나니 그간 저를 돕던 사람들도 다 등을 돌리더라구요. 거짓 말쟁이라고 생각하는 모양입니다. 그래도 찾아주신 이는 장태란 세무사님밖에 없네요."

㉙ "시간이 없어서 그런데요, 제가 여길 찾아온 이유는 모랄티움 주식 회사가 많이 어려워져서입니다. 수출오더가 끊기고 인도네시아 공장도 문을 닫은 모양입니다. 지금 현실에서는 외부투자를 받아 서 운영자금을 확보하는 것 외에 방법이 없어보입니다만."

㉘ "뭐, 서너달은 버틸 줄 알았는데, 서울청 조사 이후에 이상하게 수 출오더(order)부터 끊기더라구요. 오더만 있으면 버티는데."

㉙ "누군가 의도를 가지고 모랄티움 주식회사가 이렇게 되도록 밀어 넣었을 수도 있지만, 그런 얘기는 회사가 살아난 뒤에 할 일인 것 같아요. 아무튼 얼마 전 김장우 부장이 제게 찾아왔어요. 지용만 전무가 시킨 일인 것 같은데 회장님 지분포기 하시고 대표이사 사임하시면 변호사 비용하고, 사장님 사업재기자금을 마련해 준 다네요. 제게도 감사직을 제안하던데요."

㉘ "글마가, 그놈이…"

홍학익 회장의 얼굴이 붉으락푸르락하면서 일그러지고 있었다.

㉙ "수년 전 제가 감사로 있었던 대휴마린이란 회사의 이강재라는 사 장이 바로 여기 홍회장님이 계신 서울구치소에 같은 이유로 수감 되었었어요. 2심에서 집행유예로 나왔지만 그때 실기失機해서 모 든 걸 잃고 미국으로 도피했어요. 홍회장님과는 큰 인연도 없지 만 아무튼 제가 변호사 비용하고 사장님 재기자금을 확보해 준다 는 확약을 받았어요. 저는 모랄티움의 감사를 할 생각은 전혀 없

구요. 그러니 생각해 보세요. 자세한 건 구치소로 전자메일을 보낼께요."

홍 "결국 내가 상상했던 나쁜 생각이 맞았구만요. 하지만 옴짝달싹도 못하는 내게 너무 잔인한 제안이군요."

장 "회사가 문을 닫고 경매나 파산으로 넘어가면 사태를 걷잡을 수가 없습니다. 가장 빠르게 전략적 투자자를 유치해서 회사를 살리는 것이 회장님께서 연대보증을 선 모든 부채에서도 자유로워지는 길이예요. 추징세금도 회장님의 몫이 될 거예요. 그런데 이 부분도 회사가 책임져 준다네요. 4년 전에는 제가 경험이 없어서 모시던 이강재 대표에게 아무 것도 해 주지 못했는데, 오히려 홍회장님께 제가 할 수 있는 최선을 다하고 있네요."

홍 "그렇군요. 제게 생각할 시간을 주세요. 생각해 볼께요. 그리고 장태란 세무사님의 말씀과 경험과 진심을 믿습니다. 제게 등 뒤에서 칼을 꽂진 않을거라고 생각해요."

짧고도 긴 면회시간이 끝나고 장태란은 봄꽃이 만개한 구치소 길을 따라 내려오며, 삶은 참 아름답고도 잔인하다는 생각을 한다. 그리고 어

느샌가 큰 담판을 짓고도 큰 격정이 없이 담담해진 본인의 모습에 사뭇 놀라고 있었다.

그로부터 얼마 후, 결심을 한 홍학익 회장은 한통의 손편지를 장태란에게 보냈다.

지분포기의사와 대표이사 사임에 대한 건, 지용만 전무가 모든 것을 책임지겠다는 확실한 제안을 마무리해 달라는 내용이었다.

그리고 홍학익 회장은 본인의 지분포기와 대표이사 사임을 주요 안건으로 하는 임시주주총회의 모든 주주권리를 장태란에게 위임했다.

주주총회소집통지 생략으로 얼마되지 않아 임시주주총회가 개최되었고, 장태란은 홍학익 회장의 지분 전부무상소각, 대표이사 사임에 순순히 동의해 주었다.

또한 새로운 대표이사로 지용만 전무가 취임하고, 김장우 부장이 감사로 취임하는 것에도. 물론 홍학익 회장의 변호사 비용과 재기 비용은 이미 에스크로(escrow) 해 두었다.

그리고 모든 회사부채의 연대보증과 이번 사건으로 인해 추징받은 모든 세금은 지용만 전무가 승계하도록 사전조치했다. 주주총회를 마무리하고 장태란은 다시 서울구치소를 찾았다.

🅣 "회장님, 오늘 임시주주총회 끝내고 오는 길입니다."

🅗 "그래요. 오늘부터 저는 백수가 되었구만요."

🅣 "회장님 지분도, 직위도 다 없어졌지만 부채도 다 없어졌습니다. 추징세금마저도요. 이제 형사사건만 잘 마무리해서 집행유예로 나오세요. 변호사 비용은 넉넉하게 예치해 두었으니 다들 최선을

다해 줄 거예요."

🔴 "그래요. 그래야죠. 그런데 오늘부터 저는 다 잊을랍니다. 장태란 세무사님께 진심으로 고맙지만 이제 더 이상 찾아오지 않으셔도 됩니다."

🔵 '혹시 내게 원망이라도 갖는걸까? 아니면 이런 모든 일에 대한 해방? 혹시 내가 지용만 전무와 김장우 부장의 사주를 받아 자신의 곤궁한 처지를 공격하여 회사의 경영권을 뺏은 것으로 착각하는 건 아닐까? 4년 전 이강재 대표에게는 부채도 세금도 모두 청산해 주지 못했는데. 잘 알지도 못하는 홍학익 회장에게 이런 선처를 해 준 건 순전히 이번 역외탈세 사건이 예전 이강재의 사건과 흡사해 이강재 대신 홍회장을 구해 준 것 뿐이었는데.'

장태란 세무사는 많은 생각이 들었지만 더는 찾지 말라는 홍회장의 말에 아무 것도 묻지도 따지지도 않았다. 건강하시라는 말을 끝으로 구치소를 나오면서 역외탈세의 말로末路는 늘 좋지 않다는 생각을 해 본다.

"Live another day (새로운 날을 살아요)
Climb a little higher (조금 더 높은 곳으로 올라요)
Find another reason to stay (머물러야 할 다른 이유도 찾아보세요)"

장태란은 사무소로 돌아와서는 핸드폰 벨소리를 Dream theater의 Another day로 바꿨다. 이제 잊을만도 한 그 일을 연신 기억나게 하는 오래된 스마트폰 벨소리를 바꾸고 싶어졌다. 그런데 웬일인지 얼마 지나지 않아 다시 Adele의 Hello가 듣고 싶어졌다.

"Hello, It's me, I was wondering if after all these years you'd like to meet, to go over everything" (안녕 나야, 궁금한 게 있어, 시간이 흐르고 나

면 그때 너와 다시 만날 수 있을까? 모든 게 다 무뎌지고 나면 말이지 - Adele의 Hello)

그런데 얼마 있지 않아 낯선 번호로 전화가 왔다.

- 장 "여보세요? 장태란 세무사입니다."
- 지 "아, 네, 저 지용만 대표입니다."
- 장 '오늘 대표이사 된 거 다 아는데…'
- 장 "네, 대표이사 취임 축하드립니다. 그런데 어쩐 일이시죠?"
- 지 "저와 김부장, 아니 김감사를 도와서 회사의 외부투자자 유치에 도움을 주시면 감사하겠습니다만."
- 장 "일이라면 좋지오. SI Invitation에 어떤 방식으로 도움을 드리면 될까요?"
- 지 "일전에 김장우 부장, 아니 김감사로부터 들었는데, FI(Financial Investor) 투자유치도 해 보셨다고 하던데요. 투자유치 같이 해 보시죠?"
- 장 "그럼 제가 요청하는 자료와 숫자를 주세요. 그러면 투자유치제안서 만들어보죠. 그런데 사실 지용만 대표님께서 이미 정해 놓은 SI(Strategic Investors)가 있는 거 아니었나요?"
- 지 "역시 도사시네. 그쪽에다 제안서도 보내고 투자설명회도 갖고 모양새를 갖춰야 해서요. 조금 규모가 있는 회사다보니, 사실 그간 수고해 주셨는데 인연도 이어가고 결제도 해 드리고 그래야 도리지요."
- 장 "이미 다 정해진 일에 숟가락만 얹는 거네요."
- 지 "말은 그렇게 해도 이게 구멍이 나면 회사가 진짜 망해요. 제가 책임을 다 맡았잖아요. 회사 빚도, 홍회장 빚도요. 그러니 매사 확실하게 해야지요."

세무일은 하다보면 그저 일로만 접근할 때가 많다. 그러나 전혀 코드가 안맞으면 아예 일을 안하는 장태란인데, 웬일인지 장태란은 모랄티움 주식회사의 숫자가 알고 싶었다.

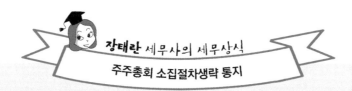

장태란 세무사의 세무상식

주주총회 소집절차생략 통지

임시주주총회는 안건이 있을 때마다 수시로 소집할 수 있는데 원칙적으로 소집권자는 이사회가 된다. 임시주주총회절차와 안건을 이사회결의로 확정하고 통상 주주총회일 2주 전에 모든 주주에게 소집통지서를 발송하게 된다.

그러나 자본금 총액이 10억 원 미만인 주식회사에 대해서는 주주 전원의 동의가 있을 경우에는 소집절차 없이 주주총회 개최가 가능하다. 이 제도를 이용하여 보다 신속한 임시주주총회 개최가 가능하다.

투자안내

모랄티움 주식회사의 신임대표이사 지용만은 이미 자신이 낙점해 놓은 투자자를 유치하기 위하여 형식적이지만 대외적으로 공표할 투자제안서와 투자소개서의 작성을 장태란에게 부탁했다.

이에 장태란은 회사소개서(Information Memorandum)를 작성하고 제안할 주식인수금액을 평가한 뒤, 주요한 예비투자자에게 나눠 줄 요약투자소개서(Teaser Memorandum)를 만드는 것으로 자신에게 주어진 일을 처리했다.

장태란은 모랄티움 주식회사가 수출오더만 충분하면 꽤 매력적인 영업이익을 만들 수 있는 체력이 있다고 느꼈다.

🔵 "장태란 세무사님, 세무사님이 작성해 주신 회사소개서와 요약투자소개서를 보니 아주 훌륭합니다. 제가 보기에도 투자하고 싶은

욕구가 막 생기고 그렇습니다."

지용만 대표는 진심인지 인사치례인지 입가에 큰 미소를 지으면서 장태란을 추켜세웠다.

지 "김장우 감사님, 장태란 세무사님 고생하셨는데 청구하시는 데로 결제해 드리세요."

김 "네, 알겠습니다. 대표님. 장세무사님, 고생해 주셔서 고맙고 앞으로도 잘 부탁드립니다."

지용만 대표와 김장우 부장, 아니 김감사가 세트로 장태란을 붕붕 띄우는 것에 장태란은 조금 낯설었지만, 모랄티움 주식회사의 새로운 시작의 분위기도 느끼고 있었다.

다만 지용만 대표와 이미 얘기가 되었다던 투자자는 도대체 누굴까? 내심 궁금해 하고 있었다.

장 "네, 감사합니다. 저야 용역을 해서 좋고, 도움이 되셨다니 다행입니다. 그런데 투자설명회(investor relation)는 언제쯤 계획하고 계신가요?"

㉨ "이 자료를 보내서 그쪽 경영진들도 보고 나서 정하기로 했으니 조만간 하지 싶습니다. 그런데 그 설명회 때 주로 김장우 감사가 설명하겠지만, 장태란 세무사님이 배석해 주시면 안될까요? 자문료는 충분히 드리겠습니다."

장태란은 궁금하던 차에 잘 되었다 싶었다.

㉨ "네 그러시죠. 일정 정해지시면 2~3일 전에 알려주세요. 저도 디테일하게 물어볼 만한 재무, 세무자료를 검토해 봐야 해서요."

㉨ "역시 꼼꼼하시네요. 프롭니다. 프로."

그리고 2주 뒤 쯤, 김장우 감사로부터 전화가 왔다.

㉢ "오늘부터 3일 뒤, 저희가 미리 정해둔 투자자 경영진을 상대로 투자설명회가 있습니다. 그런데 그쪽에서 저희 투자를 지지해 줄 이사 한 분과 오늘 저녁에 술자리가 있는데, 혹시 일정되시면 참석해 주실 수 있나요?"

㉧ "오늘 저녁 시간은 됩니다만, 갑자기 왜 그러시죠?"

㉢ "혹시 그쪽 회사에서 투자에 반대하는 임원이 있을지도 모르고, 어떤 질문이 나올지도 모르는데, 우리가 함께 모여서 대충 입을 맞추고 예상 질문 답변도 하면 어떨까 싶어서요?"

㉧ "그럼, 오늘 뵙는게 좋겠네요. 사실 회사소개서 만들면서 살펴보니 이쪽 업계가 많은 것도 아니고 한국 내 메이저 업계가 3~4개 정도밖에 없다 보니, 어쩌면 회사에 대한 이런저런 안좋은 소문이 투자업계에 돌 것도 같구요. 과거 역외탈세 문제로 모랄티움 실적이 급격히 안 좋아져서 경영진의 도덕성 문제랄지, 실적 반전의 계기를 만드는 것에 대한 질문도 꽤 나올 것 같다는 생각이 저도

들었어요. 오늘 같이 만나보시죠."

🔵김 "네네, 감사합니다."

그렇게 장태란은 과거 모랄티움의 재무, 세무자료를 리뷰해 보고, 가장 중요한 인도네시아 공장의 생산성 현황을 꼼꼼히 살펴본 뒤, 급조된 그 날 저녁 약속에 맞추기 위해 길을 나섰다.

네비게이션이 시키는대로 들어가자, 고급 요릿집들이 곳곳에 숨어 있는 청담동 한 골목에 다다르게 되었다.

이미 가겟집 앞에는 깔끔하게 정장을 차려입은 김장우 감사가 대기하고 있었다.

김장우 감사를 따라 반지하로 내려가는 듯하지만 비밀의 정원처럼 꾸며놓은 고급 일식집 안으로 들어가니, 미로처럼 만들어진 격벽 사이 통로를 지나 은은히 조명이 비치는 넓은 방에 이미 지용만 대표와 꽤 젊어 보이는 한 여자가 장태란을 맞이 한다.

🔵지 "오늘 급히 초청했는데 이리 와 주셔서 참 고맙습니다. 먼 길 오셨지요?"

🔵장 "좋은 자리에 불러주셔서 영광입니다."

지용만과 장태란의 인사가 끝나자, 예비투자자 측에서 온 것으로 추정되는 여자가 명함을 건네며 인사를 한다.

🔵남 "저는 홍콩에서 △△△ 브랜드 아시아 총괄을 하는 남여진입니다. 이런 저런 계기로 장태란 세무사님 말씀 많이 들었습니다. 직접 뵈니 더 미인이시네요."

🔵장 "네? 저를 아세요? 저는 처음 뵙는데 어떻게?"

🔵남 "차츰 얘기하게 되겠죠? 아무튼 반갑습니다."

🟢 '뭐지? 이 사람. 뭔가 나에 대해 많이 알고 있는 듯한 이 느낌은?'

아무튼 장태란은 뭔가 심상치 않은 만남이구나 싶으면서 예비투자자 측이 도대체 누군지에 대한 의문이 △△ 브랜드 아시아 총괄이라는 얘기를 듣고 조금 짐작할만 했다.

🟢 "△△ 브랜드면 요즘 핫한 프리미엄 브랜드인데, 이 △△ 가방의 아시아 생산오더도 다 총괄하시나요?"

🔵 "그렇죠. 저희 △△이 글로벌 브랜드인데 가방 쪽 생산은 모두 아시아 공장에서 OEM으로 하거든요. 가방부문 아시아 총괄판매 오더분에 대한 생산지시는 당연히 제가 하는 거고, 북미·유럽·남미 쪽 납품분도 제게 물량요청하면 제가 아시아 지정공장에 생산지시를 대행하죠."

🟢 "그럼, △△ 브랜드의 아시아 지정공장은 몇 군데나 되나요?"

🔵 "우리 △△ 브랜드의 공장은 3개 지정되어 있고, 모두 아시아에 있어요. 중국, 베트남, 미얀마에 각 1개씩요."

🟢 "모랄티움 인도네시아 공장은 지정공장이 아니군요."

🔵 "모랄티움 생산품목도 검토하셨을 줄 알았는데, 그건 놓치셨나 봄

니다. 모랄티움은 아직까지 우리 지정생산공장은 아니고, 이번 투자를 계기로 주요 지정공장으로 삼을까 검토해 보는 중이에요. 미국 쪽 관세문제에 있어서도 인도네시아 생산품이 아주 유리해 졌죠."

(장) '대박이군. OEM공장이 아니라, △△ 브랜드 직영공장화 되는 것이라… 오더만 충분하면 15%대의 영업이익이 나오는 생산성을 가진 모랄티움에게는 꿈같은 기회군. 지용만 대표라는 사람, 생각보다 능력자였어.'

(남) "장태란 세무사님, 한국에서 팔리는 △△ 가방이 얼마인 줄 아세요?"

(장) "좋은 가죽제품은 한 50만 원 정도 하죠."

(남) "네 맞아요. 그런데 그걸 아시아 생산공장에서는 얼마에 △△에 납품하는 줄도 아세요?"

(장) "이번에 정리하다보니 △△은 아니지만 보통 비슷한 브랜드의 가방 납품가가 50달러에서 최대 100달러 정도였던 거 같은데요."

(남) "맞아요. 보통 납품가는 시판가의 1/10 정도죠. 그리고 그 납품가 5만 원의 50%인 2.5만 원은 원부자재 값이고, 실제 공장공임은

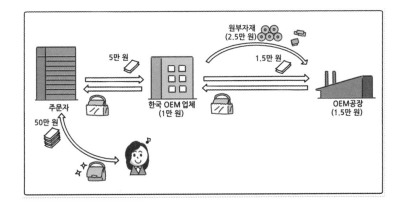

30%인 1.5만 원 정도죠."

🟣 "그래도 20%의 영업이익은 모랄티움 주식회사에 떨어지니 적지 않은 이익률입니다."

🟤 "그래요. 생산공장도 없고, 원부자재 생산능력도 없는 한국이란 나라에서 단지 미국와 유럽의 글로벌 브랜드 생산을 중개하면서 20%의 마진을 가져가는 걸 보고, Korean을 Asian jewish(아시아 유태인)라고 부른다더군요. 게다가 중국, 베트남, 미얀마, 인도네시아 등지에 있는 생산공장이며, 중국에 있는 원부자재 공장의 실제 경영자들도 한국인이니 참 대단들 해요."

🟣 "저도 그런 근성 있는 한국인을 참 존경합니다."

🟤 "그런데 재밌는 건 뭔 줄 아세요?"

🟣 "네?"

🟤 "그 한국회사, 모랄티움이 가방 1개를 팔아서 1만 원 남겼는데, 그 한국인들 와이프 생일선물 사준다고 백화점에 가서 50만 원짜리 우리 가방 사다 바치잖아요?"

🟣 "그렇네요. 제 가방도 그렇고 보면 50만 원 짜리인데 실제는 5만 원 짜리였군요."

🟤 "그런 생산과 유통구조에서 과연 누가 Winner일까요? 한국? 중국? 베트남?"

🟣 "글로벌 브랜드를 가진 미국과 유럽이겠죠."

🟤 "맞아요. 한류가 됐건 삼성전자가 됐건 현대차가 됐건 뭐가 됐건 우리 브랜드로 세상과 맞서지 않으면 Asian Jewish라는 얘기에 자위하며 살아가게 돼요. 사실 Asian jewish가 칭찬인가요? 저도 외국 브랜드 회사에 다니지만 그 좋은 글로벌 브랜드들, 애플, MS, 인텔, 나이키, 구글, 페이스북, Coach, 마크제이콥스 거의 대

부분이 미국 것들이에요. 여기 지용만 사장님과 장태란 세무사님의 모랄티움 주식회사는 그저 그 제작비의 2할을 받고 우리 일을 어레인지하는 아시안인거구요."

장 '그런데 모랄티움 주식회사에 투자하겠다는 분이 왜 이렇게 까칠하지?'

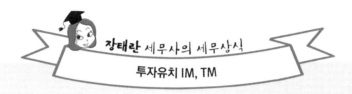

장태란 세무사의 세무상식
투자유치 IM, TM

기업의 투자유치나 인수합병(M&A)을 하기 위해서는 피투자회사에 대하여 설명한 회사소개서(Information Memorandum)와 주요한 예비투자자에게 나눠 줄 회사소개서 요약본(Teaser Memorandum)이 대체로 필요하다.

이를 IM, TM이라 하고, 이러한 서면자료를 기초로 실제 투자설명회를 가지게 되는데 이를 IR(investor relation)이라고 한다.

역·탈

제 **22** 화

재 회

⑧ "남여진 아시아 총괄이사님 말씀을 들으니 합리적이시네요. 아시
안으로 △△ 브랜드 아시아 총괄을 하시니 참 멋지시네요."

장태란은 똑똑박사 남여진에게 지적 매력을 느끼고 있었다. 그런데
이상하게도 남여진이 처음 보는 자신에게 이런 얘기를 형식적인 식사자
리를 갖기도 전에 하는 것이 도통 이해되지 않았다.

만나자마자 모랄티움의 임직원도 아닌 세무사를 안다고 하는 것도 이
해되지 않았다.

고급스런 저녁메뉴가 나오고 술도 한잔씩 하면서 남여진은 이야기를
이어갔다.

⑧ "그런데요, 우리 △△은 그저 50만 원짜리 가방을 어떻게 하면 많

이 팔까 이런 궁리를 하고 있었는데, 갑자기 미국 본사에서 모랄티움 주식회사에 투자검토하고 인도네시아 공장을 지정공장으로 검토하라는 지시가 왔네요."

🔵 "우리로서도 회사가 어려워졌다가, 갑자기 △△에서 투자를 하고 싶다고 해서 너무 놀랍고 황당하기까지 했어요. 그런데 그 와중에 장태란 세무사가 거기서 무슨 일을 하냐고 묻기에 더더욱이나… 그런데 무슨 숨겨진 얘기라도 있나요?"

지용만 대표도 남여진 총괄에게 오랜 궁금증을 실토했다.

🔵 "사실 제가 □□ 브랜드 홍콩 지사 매니저 시절에 지용만 대표님과 거래했잖아요. 그때는 지용만 상무셨구요."

🔵 "그랬죠. 그러다가 △△ 브랜드로 영전榮轉하셔서 내심 저희 모랄티움과 거래하기만을 기다렸습니다."

지용만 대표는 남여진 이사에게 한껏 몸을 낮춰 공손하게 굴었다.

🔵 "우리 △△은 제가 지정공장을 정하는 것이 아니라 미국 본사에서 정하는 거고, 그게 쉽지도 않아요. 그래서 한동안 연락 없이 지냈잖아요."

🔵 "뭐 비즈니스(business)는 비즈니스로, 퍼스널(personal)은 퍼스널인데, 좀 격조했습니다. 이렇게 미인과 함께 술자리를 하는 것도 영광인데요."

그러면서 지용만은 남여진의 술잔에 술을 뜸뿍 따른다.

🔵 "그래요? 지난 한해 모랄티움이 역외탈세 문제로 검찰 경찰조사 받고, 세무조사까지 받지 않았나요?"

🔵 "다 들으셨구만. 이전 회장이 홍콩에 비자금 만들고 한 것이 국세청과 검찰에 다 들통이 나서 말이죠."

지용만은 남 얘기하듯 홍학익 전 회장의 비위非違 사실에 대해 얘기했다.

🔵 "그러면서 장태란 세무사가 모랄티움 일에 깊숙이 관여하게 되었다는 얘기가 있던데요."

🔵 '이사람 도대체 뭐지? 내 뒷조사를 하고 다니는거야?'

장태란은 화가 났지만, 뭔가 미심쩍었다.

🔵 "깊숙이 관여하게 되었다기 보다 이런저런 선행적 경험이 모랄티움의 그때 상황을 객관적으로 볼 수 있었던 계기가 되어서 홍학익 전 회장을 도왔던 것 뿐입니다."

장태란은 홍학익, 지용만, 남여진 각자의 사실관계 인식을 명확히 하고자 단호히 얘기했다.

🔵 "장태란 세무사님께서 모랄티움의 역외탈세와 관여되었다는 얘기나, 이번 투자유치와 직접 관련되었다는 얘기를 하려는 건 아니예요. 그러니 제 말 오해하지는 마세요."

장태란은 남여진이 직접 자기에게 하고 싶은 말이 있는 듯한 느낌이 들었다. 이 자리에서 직접 물을까 하다가 이런 자리는 아니다 싶었다. 지용만 대표가 먼저 나선다.

지 "이제는 이전 회장이 지분포기하고 대표직도 사직하고 말끔해졌어요. ▲▲ 브랜드 오더받고 몇 달 밀린 공장운영자금하고 몇 달치 자재비 투자만 받으면 예전 잘 나갈 때처럼 우리 모랄티움이 황금알을 낳는 거위가 될 수 있습니다."

남 "몇 달치 공장운영자금만 없어도 해외공장 운영하는 건 쉽지 않죠. 게다가 평판이 극도로 안좋아졌을텐데, 지용만 대표는 어떻게 모랄티움의 후임대표가 되셨어요?"

지 "네? 남여진 총괄께서 직접 제게 전화하셔서 어떻게 하던 회사를 깨끗이만 정리해 주면 다시 리빌딩할 수 있도록 도와주신다면서요?"

남 "그건 깨끗이 정리된 후에 비즈니스 얘기를 하자는 의미 아닌가요? 그리고 누가 그런 질문을 하면 제 얘기를 오해하게 해서는 안돼요. 업계의 비전을 얘기해야지, 제 얘기를 하면 되나요?"

지 "아하, 맞습니다. 맞아요."

장 '이거 뭐 눈치는 챘지만, 다 짜고 치는 고스톱인데.'

장태란 세무사는 '왜 남여진 총괄이 그런 제안을 했을까?' 궁금했다. 혹시 이 사람이 바로 홍학익 회장으로부터 커미션을 받았던 다른 바이어(buyer)처럼 지용만 대표와 커미션 관계를 형성하려고 이러는 것이 아닐까도 싶다가, 미국에서 직접 투자하게 되면 미국의 감사를 받게 되고 그러다가 커미션이 걸리면 끝장일텐데라는 생각에 미치자 더욱 의아한 생각만 들게 되었다.

🅝 "장태란 세무사님도 투자설명회 자리에 오시기로 했죠?"

🅙 "네, 회사의 숫자부분 얘기할 때 제게 도움을 요청하더군요."

🅝 "네, 숫자부분 말고도 오셔야 할 이유가 있을 거예요."

🅙 "네? 무슨 일이죠 도대체?"

🅝 "지금 지용만 대표님과 장태란 세무사님께 제가 하고 싶은 말은 3일 뒤 있을 투자설명회 때 우리 △△ 아시아 관리회사 임원은 모두 참여하게 될 것이고, 미국 본사 대표자격으로 한 분이 오시기로 했으니 잘 준비해 주시고, 경영진의 도덕성 문제가 집중적으로 공격받을 수 있으니 이점 답변 대처 잘 해 주시라는 겁니다. 그리고 아까 얘기드린 것처럼 이 업황의 전반적인 역학관계와 수익구조를 이해하고 계셔야 할 거라는 거예요. 우리 입장에서 100억 원 투자가 그리 큰 돈은 아니지만, 반대로 우리가 굳이 그런 투자 하지 않아도 되는 입장이라는 것도 아셔야 해요. 특별한 이유가 없다면요."

🅙 "그렇게 준비하고 있습니다."

의문이 많았던 저녁 예비투자자 미팅이 끝나고 장태란은 대리운전으로 귀가하고 있었다. "디리릭" 한 통의 문자가 온다.

'투자설명회 때 예쁘게 하고 오세요.' 남여진의 문자였다.

🅙 '이 여자 도대체 뭐야? 뭔데 내게 예쁘게 하고 오라 마라야.'

장태란은 술김에 화도 나고, 미심쩍은 하루를 그냥 마무리하기도 그래서 다 늦은 저녁에 다음 날 일찍 출근해야 하는 세무공무원인 대학 동창에게 연락해서 소주 몇 잔을 더 마신 뒤에 귀가를 한다.

3일 뒤, 모탈티움 주식회사의 쇼룸*에서 예비투자자를 상대로 한 투자설명회가 개최되었다.

* 상품 소개와 보급을 위해 상품을 전시하여 홍보를 하기 위한 장소

장태란이 회의장에 들어서고 그 자리에 예비투자자 수 명의 임원들과 모랄티움 주식회사의 임직원 몇몇이 나란히 앉아 있었다.

장태란 세무사는 지용만 대표보다 더 앞선 곳에 자리가 배정되어 있었다. 지용만 대표와 남여진 총괄이 서로 마주보고 있었고, 반면 장태란의 맞은 편 앞자리는 비워져 있었다.

지 "언제 시작할까요?"

지용만 대표가 남여진에게 묻고 있을 때 쇼룸이 열리면서 한 남자가 걸어들어 온다. 남여진을 비롯한 ▵▵▵ 홍콩 회사의 임직원이 자리에서 일어나고, 장태란이 '이게 뭐지?' 하면서 고개를 돌리는 순간 심장이 멎을 듯 했다.

장 '이! 강! 재!'

더 고급스럽고 세련된 모습으로 이강재가 당당히 쇼룸 맨 앞자리, 장태란의 맞은편 자리로 걸어 들어오고 있었다.

장태란은 울컥하는 마음에 이강재에게 달려가 뺨이라도 때리며 안기고 싶었지만, 잠시 그런 상상이 꿈처럼 지나갔을 뿐 멍하니 앞자리에 앉은 이강재를 바라보고 있었다.

🔵(장) '꿈일까?'

이윽고 장태란은 언젠가 이강재가 했던 말이 떠올랐다. 아니 정확히 처음으로 대휴마린 주식회사에 국세청 영치세무조사가 나온 바로 그 날 이강재는 이런 말을 건넸다.

🔵(이) '저는 무역업을 하던 아버지를 보면서 자랐어요. 주로 외국 브랜드의 핸드백을 OEM 방식으로 만들어서 수출하시던 분이셨는데 무척 엄격하셨죠. 아버지는 제가 가업을 물려받길 바랐기에 미국으로 유학을 보내 외국의 비즈니스 방식이나 매너를 배우길 원했고 저도 그 뜻을 따라 아버지 사업을 이어받고자 했는데, 미국에서 대학을 졸업하고 한국에 돌아와 보니 아버지의 핸드백 사업이 줄곧 하향세였어요.'

2010년 말 서울지방국세청 조사4국 영치세무조사 당시 장태란 사무실 앞 이자카야에서 이강재에게서 들었던 아버지 얘기, 우리나라 핸드백 OEM 산업의 개척자 중 1인이셨고 이강재가 아버지와 함께 그 사업을 하다가 폐업하고 되고, 이후 이강재 대표가 해운사에 손을 대면서 빠르게 성장했다는 그 얘기가 다시 떠올랐다.

🔵(장) '어떻게 이런 자리에서 이런 모습으로 다시 만날 수 있었을까?'

투자설명회 때 브리핑할 이런저런 얘기를 했는지 못했는지도 모르게 멍하게 투자설명회를 지나쳤고, 투자설명회가 끝날 무렵 참석자 모두가 악수를 하며 자리를 마칠 때 멍하니 일어나서 1층으로 터벅터벅 계단을 내려가고 있었다.

그런데 후다다닥 하는 구둣 발자국 소리와 함께 "태란 씨" 하면서 이강재가 다가왔다.

이강재는 짧지만 그리움이 진하게 묻은 목소리로 말한다.

이 "태란 씨, 보고 싶었어요."

장태란은 다리에 힘이 풀려 계단 난간에 기대고 말았다.

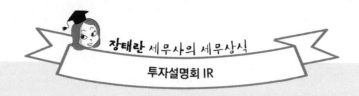

IR(investor relation)[9]은 직역하면 투자자관계, 그러나 보통 기업설명활동이라고 부른다. 이는 기업의 경영내용과 미래 전망에 대해 포괄적인 정보를 주식투자자들에게 제공하여, 결과적으로 기업의 자금조달을 원활하게 하는 활동을 말한다. 미국의 제너럴일렉트릭(GE) 사가 1953년에 탄생시킨 용어이다.

이와 유사한 개념으로 PR(public relation)이 있는데, PR은 일반대중을 상대로 홍보를 펼치는데 비해 IR은 주로 기관투자가들을 상대로 홍보를 한다는 점에서 서로 차이점이 있다.

또한 PR은 대중들에게 회사나 상품의 장점만을 전달하고자 하는 반면, IR은 반드시 좋은 정보뿐 아니라 나쁜 정보까지도 포함한 종합적 정보를 전달한다.

최근에는 IR도 결국은 일종의 경영활동이라는 인식이 확산되면서 그 중요성이 부각되어 많은 기업들이 IR 활동에 적극 나서고 있는 추세이다.

미국에서는 1969년 IR협회가 설립돼 1970년대에 투자자 보호를 주된 목적으로 활동해왔고, 1980년대에는 M&A에 대한 대응책으로 활발하게 이루어졌다.

---

9) 이하 매일경제 경제용어사전의 IR 설명자료 인용

역·탈

제 **23** 화

새로운 시작

4년 만에 장태란과 이강재는 마주 앉아 있었다. 그러나 장태란은 이강재에게 시선을 주고 싶지 않았다.

'그동안 너무 고생시켜드려 죄송합니다. 끝까지 비겁한 모습 보여서 죄송합니다. 저 미국으로 들어가서 뭐라도 해야지, 지금 이 상태로는 아무 것도 할 수가 없습니다. 우리 연인이 되길 바랐지만 제가 못나서 돌아섭니다. 태란 씨는 정말 제겐 아까운 사람입니다.'

장태란은 이강재가 4년 전에 남긴 문자메시지를 다시 꺼내보면서 이강재를 한번 쳐다보았다.

더 세련되어지고 원숙해진 이강재의 얼굴에서는 그 5년 전 수의를 입고 있었던 참담함은 보이지 않았다. '멋있어졌네' 그리고 뭔가 욱하는 마음에 장태란은 입을 연다.

장 "4년 전 저는 제 모든 것을 제껴두고 강재 씨의 구명만을 위해서
뛰어다녔었는데, 집행유예로 나오고선 단 한통의 문자만 남겨두
고 떠나셨죠. 그런데 이런 상황으로 다시 뵙게 되니 당황스러울
따름입니다."

이 "태란 씨, 미국으로 출국하기 전에 직접 만나 얘기하지 못해 미안
합니다. 그렇게 떠나지 않으면 안될 정도로 태란 씨에게 보이기
싫고 창피했던 과거입니다. 탈세를 한 경영자가 도덕성을 얘기할
수도 없고, 도덕성 없는 사람이 어찌 태란 씨 같은 분에게 연정을
가지겠습니까?"

장 '연정戀情…'

장 "그런데 도대체 어찌 된 일인가요? 이렇게 SI 투자과정에서 나타나
신 것이?"

미국으로 떠난 후 아무런 소식도 듣지 못했는데 갑자기 4년 만에 보는
것도 신기한 일이었지만, 모랄티움 주식회사의 전략적 투자자 회의에 대
표자격으로 나타난 것은 황당한 일이었다.

ⓘ "4년 전 제가 미국으로 도망간 뒤 거기서도 많이 방황했어요. 아무 계획도 없이 도피한 곳이니까요. 그런데 하나님께서 절 버리지는 않으셨던 것 같습니다. 제게 기적같은 일이 생겼죠. 다시 한번 하늘이 주신 기회라 생각하고 지금은 열심히 살고 있습니다."

ⓙ '기적같은 일… 하늘이 주신 기회?'

ⓙ "돌려 말하지 말고 도대체 무슨 일이 있었던 거예요?"

이강재는 잠깐 생각을 하다가 이야기를 이어갔다.

ⓘ "음… 미국에 건너가서 아무런 미래도 희망도 없이 술에만 빠져서 노숙자처럼 살았어요. 그러다 어느 날인가 뉴욕의 빌딩가 뒷골목에서 한 노신사가 폭력배로 보이는 자에게 위협을 받고 있는 것을 목격했죠."

장태란은 흔한 미국 액션영화의 한 장면을 떠올렸다. 이강재가 그 폭력배를 제압하고 노신사를 구해내는…

ⓘ "그때는 모든 것이 절망적인 상황이라 좌고우면左顧右眄할 필요도 없이 폭력배를 덮쳐 노신사를 보호하려고 나섰죠."

ⓙ "그래서 구하셨나요?"

ⓘ "실은 제가 싸움을 전혀 못해요. 허우대만 크죠. 그냥 폭력배를 잡고 버티면서 노신사에게 도망가라고 소리친 게 전부였어요."

ⓙ "그러셨군요. 그런데 그게 기적같은 일인가요?"

ⓘ "노신사는 도망가고, 저는 결국 그 폭력배에게 죽을만큼 맞고 칼에 찔리기도 한 것 같은데 경찰이 왔더라구요. 사실 기절해서 기억이 나지는 않지만요. 그 노신사가 데리고 온 거라고 하더라구요."

ⓙ "그 신사분이 강재씨를 구한 영웅이군요."

이 "영웅이 아니라 천사 같았어요. 그 노신사가 누구셨냐면 제 부친이 핸드백 공장을 운영할 때 수출오더를 주셨던 △△그룹 창업자셨더라구요."

장 "세상에나, 그런 인연도 다 있군요."

이 "하늘에서 제 부친이 도우셨는지 그렇게 마르시아노 회장을 만나게 되었고, 그런 인연을 얘기하게 되었고 그분이 저를 △△그룹이 라이선스를 가지고 있는 ◬◬ 브랜드의 아시아 총괄업무를 맡겨 주시더라구요. 제가 대휴마린 주식회사를 하기 전에 아버님 밑에서 핸드백 CMT(Cut, Make, Trim) 공장관리한 일이 있어 아시아쪽 오더배정과 품질관리(QC)에 대해 아는 바도 있었고, 해운사를 운영해 본 경험이 있어서 물류 쪽도 관리가 가능하다는 점을 높이 사주셨던 같아요."

장 "그럼 여태껏 미국에 계셨어요?"

이 "미국에도 있었고 △△그룹 아시아 관리회사가 있는 홍콩에도 있었고, 왔다 갔다하고 그랬어요."

장 "그런데 왜 더 일찍 한국에 돌아오지 않으셨나요?"

이 "어떻게 잡은 기회인데, 어느 정도 △△그룹에서 입지를 다지기

위해 노력했어요. 간혹 태란 씨의 소식은 동생을 통해 알아보라고 해서 여전히 잘 지내시고 계신 것을 듣고 있었어요."

㉓ '이 사람, 내 근황을 알고 있었구나. 어쩐지 세무사무실에 이운재 부장이 가끔씩이라도 인사차 들리곤 했었지. 강재 씨와는 연락이 안된다더니 그게 다 거짓말이었어? 그래도 잘 살고 있었네.'

㉓ "그런데 어떻게 모랄티움의 SI(전략적 투자) 투자자 설명회에서?"

㉑ "제가 태란 씨 소식을 듣다 보니 인도네시아에 메가(Mega)급 가방 공장을 가지고 있는 모랄티움이 역외탈세로 조사를 받고 결국 제가 그랬던 것처럼 오너가 구속되고 한 일을 알게 되었죠."

㉓ "제가 강재 씨 덕분에 역외탈세를 알게 되어 모랄티움까지 오게 되었는데, 그걸 이미 다 알고 계셨군요."

㉑ "우린 끝내 회생을 못하고 파산이 되었잖아요. 저도 개인파산신청 했고 이후 결국 면책받았습니다."

㉓ "모랄티움은 이번 SI투자만 성공적으로 받으면 법인회생이나 파산 같은 건 신경쓰지 않아도 될 회사예요."

㉑ "SI투자를 못받으면요?"

㉓ "그러면 법인회생을 가게 될 것 같은데, 그 경우에도 담보채권자들이 거의 없어서 법인회생할 가능성이 매우 크죠."

㉑ "과연 그럴까요?"

웬일일까? 이강재는 기업 M&A에 대해 더 잘 안다는 듯 장태란을 찔러본다.

㉓ "혹시, 이 SI투자에 부정적인 견해를 갖고 계신가요?"

㉑ "아뇨. 전 결국 모랄티움의 인도네시아 공장을 갖게 될 겁니다."

㉓ "그런데 △△ 브랜드 아시아 총괄은 남여진 씨가 하는 것 아닌가요?"

장태란은 '저희 △△이 글로벌 브랜드인데 가방 쪽 생산은 모두 아시아 공장에서 OEM으로 하거든요. 가방부문 아시아 총괄판매 오더분에 대한 생산지시는 당연히 제가 하는 거고, 북미·유럽·남미 쪽 납품분도 제게 물량요청하면 제가 아시아 지정공장에 생산지시를 대행하죠. △△ 브랜드의 공장은 3개 지정되어 있고 모두 아시아에 있어요. 중국, 베트남, 미얀마에 각 1개씩요. 모랄티움은 아직까지 우리 지정생산공장은 아니고, 이번 투자를 계기로 주요 지정공장으로 삼을까 검토해 보는 중이에요.' 라고 한 남여진의 말이 문득 떠올랐다.

이 "그런 걸 왜 묻죠? 남여진 이사는 아시아 총괄인 제 밑에서 일을 돕고 있어요. 그리고 태란 씨가 오해할까 봐 하는 말인데, 남여진 이사는 결혼해서 아들이 둘이나 있어요."

순간 장태란은 이강재와 남여진과의 관계를 상상하는 것 같아 창피하기도 했지만, 자신도 모르게 마음이 편해지고 미소가 지어지는 게 느껴졌다.

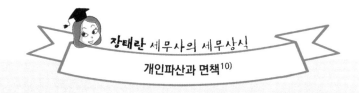

- 개인파산이란?

개인인 채무자가 개인사업 또는 소비활동의 결과 자신의 재산으로 모든 채무를 변제할 수 없는 상태에 빠진 경우에 그 채무의 정리를 위하여 스스로 파산신청을 하는 경우 이를 개인파산이라고 한다.

- 면책이란?

자신의 잘못이 아닌 자연재해나 경기변동 등과 같은 불운不運으로 인하여 파산선고를 받은 '성실하나 불운한' 채무자에게 새로운 출발의 기회를 주기 위한 것으로서 파산절차를 통하여 변제되지 아니하고 남은 채무에 대한 채무자의 변제책임을 파산법원의 재판에 의하여 면제시킴으로써 채무자의 경제적 갱생을 도모하는 것으로 개인에게만 인정되는 제도이다.

- 개인파산의 목적

개인파산제도의 주된 목적은, 모든 채권자가 평등하게 채권을 변제받도록 보장함과 동시에, 채무자에게 면책절차를 통하여 남아 있는 채무에 대한 변제 책임을 면제하여 경제적으로 재기·갱생할 수 있는 기회를 부여하는 것이다. 개인파산제도는 성실하지만 불운하게도 과도한 채무를 지게 되어 절망에 빠지고 생활의 의욕을 상실한 채무자에게는 좋은 구제책이 될 수 있다. 개인파산을 신청하는 이유는 주로 파산선고를 거쳐 면책결정까지 받음으로써 채무로부터 해방되기 위한 것이므로, 개인파산을 신청하기 전에 자신에게 면책불허가 사유가 있는지 여부를 잘 검토하기 바란다.

---

10) 대한민국 법원 전자민원센터 개인파산/회생 절차안내 인용

M&A를 통한 회생

이강재의 말을 종합해 보면 △△그룹은 ◭◭ 브랜드 아시아 총괄 관리회사를 통해 모랄티움 주식회사가 인도네시아에 가지고 있는 메가 공장을 인수할 의향이 있지만, 거기에 관련된 각종 부채를 인수할 생각은 없고, 공장이 시장에 매물로 나올 때까지 기다려보겠다는 것이다. 결국 모랄티움에 대한 ◭◭ 브랜드의 SI투자는 이뤄지지 않았다.

🔵 "아, 너무들 하는구만. 너무들 해. 홍학익 회장을 떼어내고 모랄티움을 다시 일으켜 보려고 내 사재(私財)까지 다 털어넣었는데, ◭◭ 브랜드가 배신을 해. 아, 김장우 부장, 아니 감사야. 어떻게 좀 방법이 없냐?"

지용만 대표는 생각한대로 SI투자가 이뤄지지 않자 급격하게 좌절하고 있었다. 그것은 김장우 감사도 마찬가지였다.

"Live another day (새로운 날을 살아요)
Climb a little higher (조금 더 높은 곳으로 올라요)
Find another reason to stay (머물러야 할 다른 이유도 찾아보세요)"

장태란의 스마트폰이 울린다.

㉒ "김장우 감사님?"

㉓ "네 김장웁니다. 다름이 아니고 저희가 SI투자에 실패해서 드리기로 한 용역비도 못드리고 면목이 없습니다. 계속 금융기관에서는 빚독촉이 오고, 인도네시아 공장의 체불임금도 못주고 그러다보니 수출오더도 아예 들어오질 않네요. 어떻게 살 방법이 없습니까?"

㉒ "회사가 괜찮으니 법인회생을 신청해 보세요."

㉓ "회생요?"

㉒ "제가 볼 때는 인도네시아 공장이 꽤 매력적인 물건이라 그걸 사려고 하는 사업자가 있을 거예요."

㉓ "법인회생에 대해서 잘 모르는데 인도네시아 공장을 팔면 저희는 뭘로 비즈니스를 합니까?"

㉒ "원래 법인이 회생신청을 하면, 일단 회생신청절차가 받아들여지면 각종 부채변제가 동결되면서 법인 자금관리를 법원이 맡게 됩니다."

㉓ "그럼 빚독촉으로부터는 해방이군요. 그 다

음에는요?"

🅰 "그리고 나서 법원은 그 회사의 청산가치가 큰지, 아니면 계속기업의 가치가 큰지를 법원이 선임한 조사위원을 통해 조사를 해요. 청산가치 크면 그냥 지금 시점에 법인 보유 재산을 다 팔아서 빚을 갚고 법인을 청산*하는 것으로 바로 파산절차로 가는 것이라 보시면 되요."

* 법인을 소멸시키는 것

🅺 "계속기업의 가치가 크면요?"

🅰 "회사가 이익을 낼 수 있고 그 이익으로 10년 간 회사의 부채를 갚을 수 있도록 해 주면서 부채원금도 탕감해 주고, 분할상환도 허용해 주고 그럽니다. 법원에서요."

🅺 "우리가 계속기업의 가치가 클까요? 사실 지금 저희는 공장 외에는 자금도 없고, 공장은 있지만 오더도 없습니다."

🅰 "그건 법원과 조사위원의 판단이겠지만, 수출오더를 줄만한 회사나 공장을 운영할만한 능력있는 회사가 회생신청한 회사를 M&A 해서 살리는 방법이 있습니다."

🅺 "지금 현재 우리 회사의 주식가치는 제로인데, 어떻게 M&A를 합니까?"

🅰 "그러니까 법원에서는 기존 주식은 전부 무상감자로 없애고, 회생법인을 M&A할 투자자에게 유상증자로 회사에 자금을 투입하게 해서 그 유상증자대금으로 부채를 갚고, 남은 부채는 법원에서 탕감해 주는 방식으로 하는거죠."

🅺 "그럼 우리끼리 짜고 M&A 투자자를 끌어들이는 척해도 지금 우리가 가지고 있는 부채 중 상당액은 법원이 직권으로 탕감해 준다는 건가요?"

🔵 "그런 걸 회생사기*라고 하는데 회생법인의 관리인이 그런 짓을 하게 되면 감옥에 가겠죠? 공정한 M&A로 하셔야죠."

* 고의로 부채를 갚지 않기 위하여 기업회생절차를 악용해서 부채탕감 후 다시 회사를 실질적으로 인수경영하는 행위

🔵 "장태란 세무사님은 모르시는게 없네요. 너무 감사합니다. 어떻게든 살아봐야지요."

결국 얼마되지 않아 모랄티움 주식회사는 법원에 회생개시신청을 하게 되었다. 그리고 법원에 회생 방편으로 M&A를 통한 회생방안을 제시하였다.

법원은 이를 받아들여 M&A를 통한 회생을 공고하고 투자자를 모집하라고 결정했다.

그러나 인도네시아의 메가 공장의 체불임금은 기업회생을 통한 부채감면 대상이 아니었다. 그러다보니 선뜻 투자자는 구해지지 않았다.

1차 공고 때 모집되지 않았는데 2차 공고 때 ◬◬ 브랜드 아시아 관리회사가 투자한 사모펀드에서 모랄티움 주식회사의 M&A를 통한 회생입찰에 단독으로 참여하게 된다.

'◬◬ 브랜드는 결국 이걸 기다린거였구나…'

지용만 대표와 김장우 감사는 이 모든 것을 알게 되었지만 비즈니스의 세상은 냉정했다. 하긴 홍학익 회장이 일선에서 물러날 때의 상황도 결코 따뜻하지는 않았지.

법원은 모랄티움 주식회사가 제시한 회생계획안을 최종 승인했다. 회생계획안에는 기존 주주들의 주식은 100% 무상감자하고, ◬◬ 브랜드

사모펀드가 100억 원을 유상증자대금으로 들여와 총 부채 300억 원 중 100억 원 즉 33.3%를 상환하고 66.7%를 채무의 출자전환한 뒤 다음 날 전부 무상감자하는 안이 담겨 있었다.

부채변제율 33.3%면 모랄티움이 파산하여 인도네시아 공장을 팔아 부채를 변제받는 것을 기대하는 것보다 훨씬 유리한 조건이었기 때문에, 대부분의 금융기관 채권자들은 회생계획안에 동의했다.

결국 △△ 브랜드 아시아 관리회사가 모랄티움 주식회사의 새로운 주인이 되었다. 그리고 새로운 주인이 된 날, 기존의 임원들은 자동으로 교체되었고 모랄티움 주식회사의 대표로 이강재 대표가 취임했다. 취임하던 날 이미 부채는 모두 변제되었으므로 법원은 회생절차를 종결했다.

얼마 지나지 않아 이강재는 장태란을 회사로 초청했다.

장태란이 오랜만에 방문하게 된 모랄티움 주식회사는 건물 외관부터 완전히 달라져 있었다. 그런데 유난히 눈에 띄는 것이 건물 외관에 큼직하게 장&리 액세서리 주식회사라는 로고가 새겨져 있는 것이었다.

'장&리' 장태란은 건물 정문을 들어서면서 뭔가 어디서 본 듯하다는

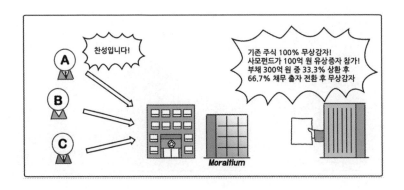

느낌이 든다.

🟢 "이강재 대표님, 결국 뜻하신 대로 이루셨네요. 축하드립니다."

🔵 "네, 결국 그렇게 되었습니다. 그리고 이날을 기다렸어요. 그런데 모랄티움 주식회사의 전략적 투자자가 되는 것도 나쁜 건 아니었어요, 모랄티움의 지용만 대표의 제안도 꽤 달콤한 것이었죠."

🟢 "네? 지용만 씨가 어떤 제안을 했나요?"

🟠 "그쪽에선 우리가 전략적 투자를 해 주고 수출오더를 주면, 커미션으로 제게 수출오더금액의 10%를 넘겨주겠다고 하더라구요."

🟢 "또 그랬나요? 그것도 역외탈세의 이면인 것을."

🟠 "비즈니스에서는 돈을 벌기 위해 법이 제한한 영역을 벗어나기도 하죠. 저도 예전에 그랬는지도 몰라요. 그런데 이제 그런 돈은 의미가 없습니다."

🟢 "전 고도의 전략으로 모랄티움을 인수하셨다고 생각했는데."

🟠 "당초에는 모랄티움의 SI가 되려고 했어요. 그런데 지용만 대표의 제안에 같이 엮이고 싶지 않더라구요. 그래서 관두려고도 했습니다. 당장은 모랄티움의 인도네시아 공장이 탐이 났지만요. 그러

다 명분이 되면 어떨까 싶었는데, 모랄티움의 인수자 1차 입찰 때 그 공장의 체불임금 때문에 입찰자가 없더군요. 그러면 제가 살 수 있는 충분한 명분도, 환경도 되는 것 같아 참여했습니다. 그 생산기반에서부터 장&리를 다시 시작해 봐야죠. 우선 ▲▲ 브랜드 가방 오더부터 시작해서 제가 꼭 해보고 싶은 우리 대한민국 명품브랜드를 만드는 것까지요."

장 "결국 수년 전에 역외탈세를 통해 배운 뼈저린 경험이 강재 씨를 더욱 건강한 비즈니스맨으로 만들었군요. 그런데 장&리는 뭐죠?"

김 "뭐긴요, 제가 늘 꿈꿔오던 거죠. 장&리. 이제는 제가 프러포즈할 때가 되지 않았나요? 저와 결혼해 주시겠어요?"

이강재는 책상 밑에 감춰 둔 꽃다발과 반지 한 세트를 꺼내면서 장태란에게 청혼을 했다.

이 "언제까지나 제 인생의 감사가 되어주세요."

장태란은 더 이상은 참을 수 없다는 듯 와락 이강재를 끌어 안고 얼굴을 당겨 늘 하고 싶었던 딥키스를 했다.

법원, 경남기업 변경회생계획 인가…한달 내 절차 종결, 동아건설과의 M&A 투자계약 통한 회생계획안 제출

(서울=뉴스1) 윤수희 기자 | 2017-10-25 12:11 송고 | 2017-10-25 12:14 최종 수정

경남기업이 동아건설과 M&A(인수합병) 체결을 골자로 한 변경된 회생계획안을 인가받았다. 이로써 경남기업은 한 달 내에 회생절차를 졸업할 수 있는 길이 열렸다.

서울회생법원 제14부(부장판사 이진웅)는 24일 경남기업에 대해 변경 회생계획 인가결정을 내렸다고 밝혔다. 법원은 인가 후 회생절차를 신속하게 진행해 한 달 안에 회생절차를 종결, 경남기업을 시장에 복귀시킬 계획이다.

1951년 설립된 경남기업은 2009년 5월 1차 워크아웃을 거쳐 2014년 2월 2차 워크아웃에 돌입했으나 주요 자산을 팔지 못해 운영자금을 확보하지 못하는 어려움을 겪다가 2014년 말 완전 자본잠식 상태에 이르렀다.

여기에 2015년 3월 고 성완종 회장의 해외 자원외교 의혹으로 검찰 수사가 시작되자 그해 3월 27일 회생신청을 했다. 법원은 4월 7일 회생절차 개시를 결정했다. 4개월 동안의 수사에서 경남기업은 회사의 조직적 횡령이나 비위행위가 발견되지 않았지만 연루된 직원들이 퇴사하는 등 아픔을 겪었다.

이후 경남기업은 회사조직을 줄이고 경영부실이 있는 기존 경영진을 교체하는 등의 노력을 기울였다. 특히 M&A를 위한 기반을 조성하기 위해 베트남 랜드마크타워를 소유한 관계회사의 지분과 수완에니저에 대한 채권 및 지분을 매각해 인수대금 부담을 덜어냈다.

경남기업은 올해 7월 동아건설산업과 인수대금 653억 원에 M&A 투자계약을 체결했고, 법원은 경남기업 채권자의 동의를 얻어 M&A를 통한 회생계획안을 인가하기로 결정했다.

법원 관계자는 "경남기업이 회생절차가 진행 중인 지난해에도 시공능력 평가 순위 45위를 유지할 정도의 대형건설업체다"며 "M&A를 통해 경남기업이 재도약의 기회를 얻고 고용창출 및 내수경제 활성화에 기여할 수 있을 것"이라고 밝혔다.

■ 장보원 세무사

- 서울시립대학교 세무학과 졸업
- 서울시립대학교 세무전문대학원 졸업(석사)
- 서울지방세무사회 홍보위원장
- (주)한화호텔앤드리조트, (주)한컴, (주)에스케이네트웍스, (주)63시티 세무자문
- 서울지방국세청장상 수상
- 한국세무사회장 공로상 수상
- 국회사회공헌대상 수상

〈현재〉
- 장보원세무회계사무소 대표
- 국세심사위원
- 한국세무사고시회 연구부회장
- 법원행정처 전문위원
- 중소기업중앙회 본부 세무자문위원
- 한국지방세연구원 세무자문위원
- 서울시 마을세무사
- 삼일아이닷컴 자문위원

〈저서 · 논문〉
- 『세법정해』, 영화조세통람, 2002
- 『세법학 1부』, 『세법학 2부』, 『세법학총정리』, 영화조세통람, 2003
- 『절세가 아름답다』, 도서출판 창해, 2009
- 『절세테크 100문 100답』, 도서출판 평단, 2017
- 「우리나라 부가가치세법상 의제매입세액공제에 관한 소고 : 농어민 및 미가공 농산물 등의 취급을 중심으로」, 서울시립대학교 세무전문대학원, 2011